モノづくりから、コトづくりへ

プログレス・テクノロジーズとは何者か？

玄文社

装幀　株式会社ホワイトライン グラフィクス

はじめに

プログレス・テクノロジーズ株式会社は２００５年に創業しました。以来、成長と共に色々なモノ・コトに挑み、その都度、変化してきましたが、一つだけ変わらないものがあります。それは、日本のモノづくりをリスペクトし、メーカー、企業に寄り添いながら、共に創り、社会に貢献したいという姿勢です。

日本はかつて、その優れた製造技術によって信頼性の高い製品を生み出し、世界各国から「モノづくり大国」と言われていました。しかし、日本をモノづくり大国たらしめた現場の力は、今やデジタルの力に追い越されつつあり、製造業の現状はさまざまな課題に直面しています。

ドイツでは２０１５年に「インダストリー４・０」と称した製造業の国家戦略プロジェクトを政府が掲げ、ＩｏＴの導入や「スマート工場」といった方針のもと、製造業のデジタル化に官民一体となって取り組んでいます。こうした動向からわかるように、製造業は既存の「モノづくり」の概念から脱却し、価値観を進展させて、サービスやソリューションといった付加価値創出までも含めた「コトづくり」の産業へと転換しつつあります。

経済産業省が発行している『2020年版ものづくり白書』では、ダイナミック・ケイパビリティに通じる〝攻めのIT投資〟の重要性について触れています。現状、日本企業は業務効率化やコスト削減といった守りのIT投資が中心になっており、攻めのIT投資に転換する必要があると述べているのです。このことからも、日本のメーカーは世界で進むIT投資、デジタルトランスフォーメーションにおいて立ち遅れているのが見てとれます。

そのような環境で、「現在の日本は世界に誇るモノづくりの国ではなくなった」というのですが、本当にそうでしょうか。

ただ、夢を見る力、夢を語る言葉を見失っているだけではないのでしょうか。

いま一度、日本の製造業の力を信じよう！　エンジニアのスピリットを信じよう！　世界中の人がワクワクするような「何か」を見つけ、創っていこう！

私たちプログレス・テクノロジーズはそんな思いで、創業当初から製造業に従事する人・会社との「共創」、社会貢献に努めてきました。

大手メーカーの設計開発支援サービスからスタートした私たちは、メーカーが抱える課題を解決するためには何が必要なのかを追及し、設計開発を行うエンジニアリングチームと、設計開発プロセスを改革していくコンサルティング&ソリューションチームを編成し、「ワンストップトータルソリューション」というかたちを構築、推進してきました。

各メーカーの当該メンバーと手を携えて設計開発のあり方を考え、方策を立て、より良いビジネスの潮流をつくる。さらに、コンサルティングから設計実務までを提供し、取引先のケースに応じてイノベーションの実現に向けて伴走する。それを私たちの使命として働いています。

なぜなら、もっとワクワクしたいから。

今、世の中が大きく変わりつつあります。1つの会社が基礎研究から始めて、自社の技術と人材だけで製品を開発し、他社と競う「競争の社会」は終わりを告げ、「共創の社会」へシフトしようとしているのです。

これからは、複数の企業が技術や人材を持ち寄り、知恵を出し合い、今までになかったものを生み出す、〝コトづくり〟への希求が大事になってくるのではないでしょうか。

日本のエンジニアがコトづくりの開発にワクワクしながら世界のイノベーションを牽引する――そんな未来を創造するために、私たちの会社は存在するのだと思っています。

二〇二三年　如月吉日

プログレス・テクノロジーズ株式会社

モノづくりから、コトづくりへ
プログレス・テクノロジーズとは何者か？

目次

第二章

日本の製造業に新しい風を！大切なのは「ワクワク」するか

第三章 プログレス・テクノロジーズとは何者か？

第四章 モノづくり現場のDX、その最前線で起きていること

第五章　共創の時代、ワクワクする「モノ＆コト」づくりで未来を切り拓く

第一章　モノづくりが変わる！
デジタル産業革命が変える！

既存の価値観では最適解を導けないＶＵＣＡの時代

新型コロナウイルスの感染拡大の影響が、これほど長引いていること。

ウクライナでの紛争が国際社会や経済に、これほど影響を与えていること。

食糧・エネルギー・原材料などの価格が高騰するほど、円安が急展開していること。

本書の企画、制作は２０２２年夏から翌年にかけて進められましたが、ほんの少しまわりを見渡すだけで、数年前、いや1年前でも想像すらできなかった現象が起こっています。高名な経済学者なら、あるいは最新鋭のＡＩなら、こうした変化を予見できたでしょうか？

答えはＮｏです。もしできていたなら、社会はこれほど混乱していなかったはずです。


現代をあらわす言葉としてよく「ＶＵＣＡ（ブーカ）」が使われます。

- Ｖｏｌａｔｉｌｉｔｙ（変動性）
- Ｕｎｃｅｒｔａｉｎｔｙ（不確実性）
- Ｃｏｍｐｌｅｘｉｔｙ（複雑性）
- Ａｍｂｉｇｕｉｔｙ（曖昧性）

ブーカはこの4つの頭文字からなる造語で、日々の暮らしや経済にとって、未来予測が難しくなった状況を指しています。もともとはアメリカで使われていた軍事用語でした。１９９０年代に東西冷戦が終結し、国際秩序の行き先が不透明になった状況から生まれた言葉だったのですが、２０１０年代に入り、グローバル化やテクノロジーの進歩により、世界情勢に加えて、経済環境の予測が難しい状況を象徴する言葉としても使われるようになりました。

社会のニーズ、仕組みは多様化し、古い価値観のままでは最適解を導けないような時代になっています。グローバル化によって国や地域の法律、文化などが絡み合い、経済は複雑化し、これまでの成功体験にとらわれていてはイノベーションが生まれないだろうというのです。

みなさんの手元にもＶＵＣＡ時代を象徴するアイテムがあります。それはスマートフォン。

友人・知人とのコミュニケーションだけでなく、音楽や動画などのコンテンツを楽しむのもショッピングの決済もスマートフォンで行う人が多くなりました。スマートフォンが手元にないだけで、どうしようもなく不安になってしまう人もいるのではないでしょうか。

日々の生活に欠かせないツールとして定着しているスマートフォンですが、10年前は、ここまで多機能に進化するとは予想できなかったはず。どうしてここまで進化できたのか。理由は一つではありませんが、多様化、複雑化していく市場のニーズに、テクノロジーが即応してきたからではないでしょうか。通話やメッセージ送受信という基本機能に加え、スマートフォンをプラットフォームとして、エンターテイメント、撮影や決済ツールなど、さまざまな領域のサービスや事業者が加わるたびに、テクノロジーがニーズに応え、または一歩先を行く価値を創出、提供してきたのです。

今後、スマートフォンがどう進化するのか予測するのは難しいでしょう。生活スタイルや価値観の変容によって、進化のベクトルは大きく変わるからです。数年後には現在のような形ですらなく、ゴーグル型のようなウェアラブル端末が主流になっているかもしれません。

「モノづくりからコトづくりへ」というゲームチェンジ

ＶＵＣＡをきっかけに語られる現代、近未来はこのように予測不能で、企業は難しい舵取りを迫られ、どうしてもネガティブな論調になりがちです。「○○しなければならない」「○○していたら生き残れない」。確かにそうした側面はありますが、物事はいろいろな見方ができるもの。予測が難しいから、考える楽しみがあるとも言えます。多様化・複雑化しているから、より面白いものが生まれる可能性がある。そんなふうに考えられます。

プログレス・テクノロジーズは、製造業の設計開発領域でのコンサルティング、ソリューション、エンジニアリングサービスの提供によって、クライアント企業の製品開発を伴走者的に支援する会社です。会社の成り立ち、事業やサービス概要は後述していきますが、ここでは「モノづくりの現場で、難しいけれど、おもしろいことをやっている会社」と認識しておいてください。

不透明で不確実なＶＵＣＡの時代。企業の経営者には柔軟かつスピード感のある判断が求められています。それは製造業も同じですが、向かうべき方向を間違えてしまうと、軌道修正に時間がかかってしまいます。羅針盤となるキーワードにあげたいのは「ゲームチェンジ」、そして「モノづくりからコトづくりへ」です。

まず「ゲームチェンジ」ですが、スポーツのゲームは、ルールに則ってプレーすることで平等性が保たれます。ゲームチェンジはビジネスの世界で主に使われるワードですが、ゲームがチェンジするとは、つまり、既存のルールは通用しない新しいゲームへ移行する、という意味。携帯電話からスマートフォンへの進化は、一つのゲームチェンジ事例と言えるでしょう。

同様に、革新的なテクノロジーやサービスを生み出し、新しいゲームの創造に大きく関わる企業や人を「ゲームチェンジャー」と呼びます。

製造業は今、極めて大きなゲームチェンジの局面を迎えています。

所有から利用へ。消費から循環へ。そんなふうに表現されることもありますが、大量生産・大量消費の時代ではなく、資源を有効活用するシェアリングエコノミーの時代へ。または、脱炭素やカーボンニュートラル等による、サステイナブルな社会の実現へ。そうした大きな流れの中で、今まで経験したことのないゲームチェンジを製造業は求められているのです。

それをわかりやすく表現したのが「モノづくりからコトづくりへ」。

製造業はモノづくりを行う会社であり、多機能、高性能、高品質の製品を、どれだけ安く提供できるかが競争力を決める要素でした。日本の製造業が世界から高く評価されたのは、この要素をすべて高い水準で満たしていたからです。


2010年代に入る頃から、少しずつ潮目が変わってきました。

環境意識の高まりや、先行き不透明な将来に対する不安などからマーケットのマインド、消費傾向が変わり、どれだけ性能がすぐれた「モノ」かよりも、それを使うことで新しい体験ができるのか、暮らしにどんな変化が生まれるのか、「コト」としてどんな体験ができるかに市場のニーズは変わっていったのです。

よく「モノが売れない時代になった」と言いますが、それは現状を正しく認識できていないから出る言葉でしょう。ただ新しいだけ、性能が少しすぐれただけのモノは確かに売れなくなりましたが、マーケットが求めている「コト」、その一歩先を体験できる「コト」をもたらす製品やサービスならしっかり売れています。

スマートフォンを例にすると、高性能のカメラが採用されるのはもはやあたり前です。重要なのは、そのカメラを使うことでどんな体験ができるのか。今までにないクリエイティブな撮影が簡単にできたり、編集や加工が指先で直感的にできたりなど、利用する人が新しい「コト」をおもしろがれるかが差別化のポイントになってきています。

これはスマートフォンのようなＢｔｏＣの製品に限った話ではなく、私たちがサービスを提供する、製造業の設計開発現場のようなＢｔｏＢの領域でも同じです。例えば、新しい建設機械の開発でも、そこにネットワークを駆使した、稼働状況の遠隔監視サービスをプラス。単に最新のハード、テクノロジーを提供するだけでは意味がなく、それによってどんな変化、流れ、成果が期待できるのかを、説得力をもって訴求できる製品やサービスでなければ受け入れられなくなっています。

異業種コラボ等、自動車業界に起こっている変化の行き先

「モノづくりからコトづくりへ」は、製造業のさまざまな現場で求められるマインドチェンジです。私たちが多くのソリューション、サービスを提供している自動車業界は、変化が最も顕著な業界の一つと言えるでしょう。現在「自動車業界は１００年に一度の大変革期にある」と言われており、10年後には見える景色がガラッと変わっているかもしれません。

自動車業界のトピックスとして、一般的に浸透しているのは電動化でしょう。国内のメーカーはEVの開発、販売に注力していますし、海外には「数年内にEV専売メーカーになる」と表明しているところもあります。確かに電動化は大きなテーマですが、ゲームチェンジの要因はそれだけではありません。キーワードの一つが「CASE（ケース）」です。

・Connected（コネクテッド＝つながる）
・Autonomous（自動運転技術）
・Shared&Services（シェアリングとサービス）
・Electric（電気自動車、電動化）

4つの頭文字を取った造語が「CASE」。ハード面における自動車の物理的な変化、進化だけでなく、業種の垣根を越えたコラボレーションから、新たなモビリティサービスを生み出すことを示唆する言葉です。

ドイツのダイムラーAGは、4つのテーマを最適に組み合わせることで、自動車メーカーの枠を超え、モビリティサービスのプロバイダーへの変身を目標に掲げています。トヨタ自動車も「クルマをつくる会社からモビリティ・カンパニーへモデルチェンジする」と宣言しており、CASEを意識した経営が明確な潮流となりつつあります。

CASEが示唆する世界観を具体化するには、従来の自動車づくりとは縁のなかったテクノロジー、サービスとの融合が必要になるため、自動車メーカー単体で進めるには限界があります。トヨタ自動車が、ソフトバンクとの共同出資によって「ＭＯＮＥＴ　Ｔｅｃｈｎｏｌｏｇｉｅｓ（モネ　テクノロジーズ）」を設立。本田技研工業（ホンダ）が、ソニーグループとの共同出資による合弁会社「ソニー・ホンダモビリティ」を設立するなど、自動車製造のノウハウと通信ネットワーク、ソフトウエア開発の組み合わせにより、新たな価値を生もうとする取り組みがニュース等で大きく取り上げられています。

変化の時代の羅針盤となるのは、コト（体験）の価値理解

背景にあるのはＣＡＳＥです。技術革新によって自動車の概念が大きく変わり、競争の相手も、競争のルールも大きく変わる。自動車は社会のあらゆるサービスとつながり、社会システムの一部になる。そんなゲームチェンジ後の世界でプレゼンスを高めるために、各メーカーは取り組みを強化しているのです。

新しいモビリティ社会を予見する時、ＣＡＳＥと並んで重要なキーワードとなるのが「ＭａａＳ（マース）」です。これは「Ｍｏｂｉｌｉｔｙ　ａｓ　ａ　Ｓｅｒｖｉｃｅ」の略で、直訳すると「サービスとしての移動」となります。従来の交通手段に、自動運転や通信ネットワーク、ＡＩなど、さまざま

なテクノロジーをかけ合わせて生まれる、次世代の交通サービスを指しています。

メリットとしてあげられるのは、カーシェアリングの普及、複数の公共交通機関のシームレスな利用による渋滞の回避、緩和など。地方に多い公共交通機関が利用できないエリアの住人、または高齢者に代表される交通弱者対策になること。自家用車の利用が減少することで、排出ガスの削減につながることも期待されています。

先行するヨーロッパと比較すると、日本のＭａａＳはまだ発展途上の段階で、あらゆる交通機関の時刻表、料金などの情報を一括で管理し、自由に使えるレベルになるには時間がかかると言われています。しかし、実証実験も積極的に行われており、自動車メーカーをはじめ、さまざまな業種・業態の企業が参加することで新たなビジネスチャンスが生まれるでしょう。


ここではＣＡＳＥとＭａａＳを例にあげましたが、自動車を取り巻く環境は想像以上のスピードで変化しており、対応は待ったなしの状況です。

自動車にはその時代のテクノロジーが集約され、より速く、より遠くへを目指して、進化を続けてきました。自動車メーカーのやるべきことは、より高性能かつ多機能なモデルを開発し、市場に届けることで、市場もそれを心待ちにしていたため、定期的な買い替え需要が発生していました。これまでは、プロダクトアウトの視点でより新しいモノをつくれば、ある程度の販売は見込めたのです。

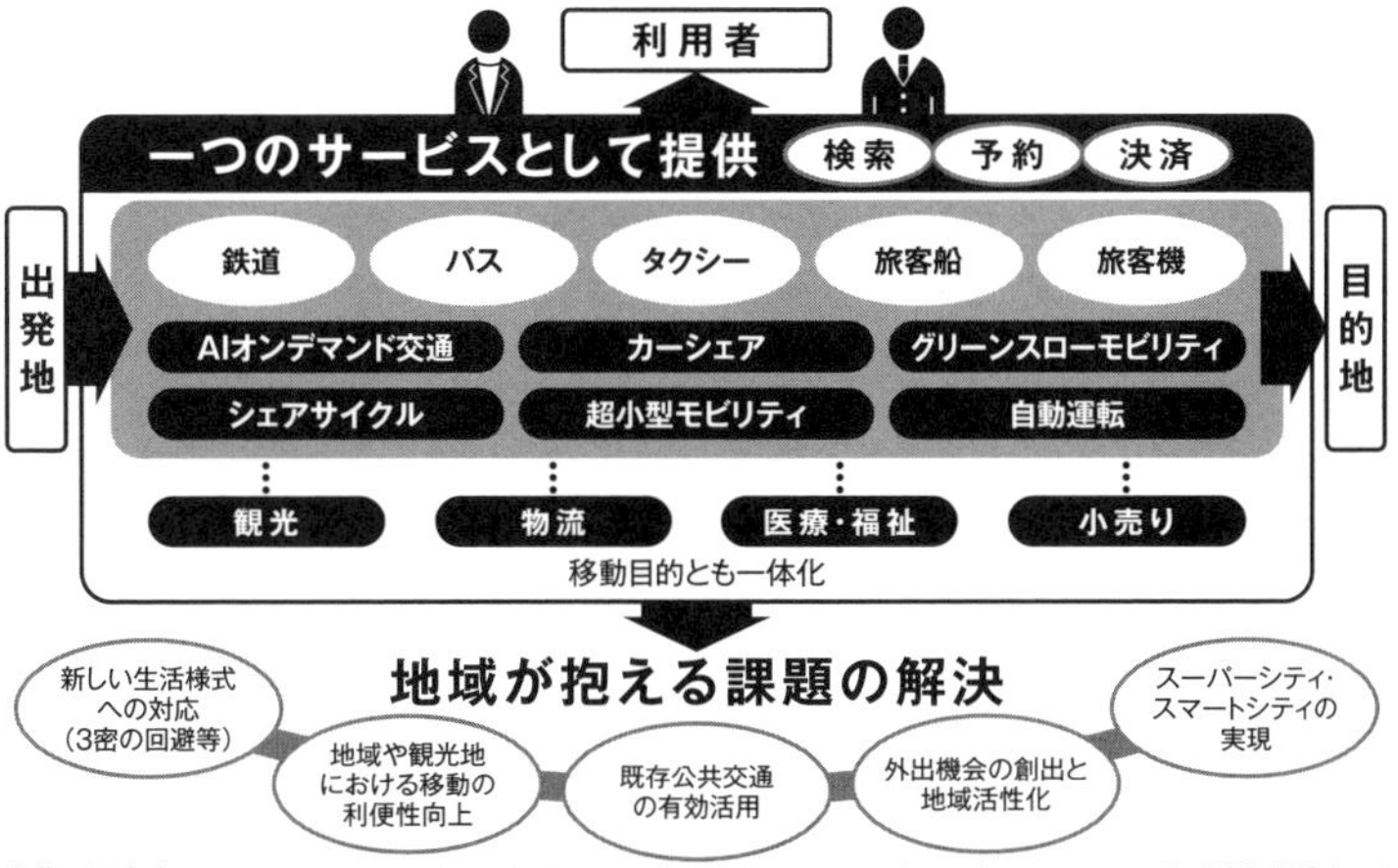

出典：国交省　https://www.mlit.go.jp/sogoseisaku/transport/sosei_transport_tk_000193.html

地域住民、旅行者一人ひとりの移動ニーズに対して、複数の公共交通や、それ以外の移動サービスを組み合わせ、検索、予約、決済等を一括で行うサービスが「MaaS」。観光、医療などの連携で、利便性向上や地域課題解決にもつながると期待される。

時代は変わりつつあります。ＣＡＳＥ、ＭａａＳが示す社会が求めるのは、従来のモノづくりの視点、プロダクトアウトで生み出される新しい高性能モデルではなく、次世代のモビリティを体験させてくれるサービスであり、そのツールであり、プラットフォームとしての側面を持つモデルです。開発には、従来の自動車づくりの知見、ノウハウではカバーしきれない領域も多く、前述したトヨタ×ソフトバンク、ホンダ×ソニーのように、業種の枠組みを超えたコラボレーションが生まれています。

「モノづくりからコトづくりへ」という変化をふまえると、これからの自動車メーカーは「テクノロジーカンパニーからソリューションカンパニーへ」という進化が求められているように思います。テクノロジー基点の新しいモノではなく、利用者がさまざまなベネフィットを感じられる体験、つまりコトを提供するソリューションをどう提供するか。そうしたニーズの変化に応えるため、自動車メーカーはもちろん、部品を供給するサプライヤーも自己変革を迫られており、それらをサポートするのが私たちプログレス・テクノロジーズの立ち位置になります。

成長の源泉となるのは「バーチャル・エンジニアリング」

自動車を例にしましたが、ゲームチェンジはあらゆる領域の製造業で起こっています。では既存のルール、常識、成功体験では戦えない新しいゲームで、持続的に成果を積み上げていくには何が必要なのでしょうか。

ブランド価値の創出、サプライチェーンの再構築、スマートファクトリーに象徴される製造現場のDX（デジタル・トランスフォーメーション）など、ブレイクスルーにつながるポイントはいくつかあります。その中で、VUCA時代に競争力を高める源泉となるのが、エンジニアリングチェーンの上流、ひと言で言うと「設計力」です。

エンジニアリングチェーンについて少し補足しておきましょう。

製造業の一般的な業務フローを簡潔に記すと、「企画→設計→調達→製造→出荷→アフターサービス」となります。エンジニアリングチェーンとは、設計部門を中心に製造プロセスの上流工程を指す用語で、多くの場合、市場調査、商品企画、基本設計、システム設計や工程図の作成などを含みます。

蒸気機関の誕生による第1次産業革命、電力と石油による第2次産業革命、ＩＴ技術による第3次産業革命。いくたびかの革命を経て、現在はＡＩやＩｏＴの活用による第4次産業革命の真っただ中にあると言われ、その推進のカギとなるのがＤＸです。いろいろな分野でＤＸの取り組みが進められていますが、製造業の場合、ＤＸ実現の要諦とされるのは製造プロセスのデジタル化になります。

1990年代前半から、設計の現場では3ＤＣＡＤ（Ｃｏｍｐｕｔｅｒ Ａｉｄｅｄ Ｄｅｓｉｇｎ）が導入され、デジタル技術の活用が進んだと言われています。ただ、設計図面や仕様書はデジタル化されても、それは文字や音声、画像などで構成され、検索や集計、解析に不向きな非構造データであることが多く、作業の大部分は人間の感覚や経験に依存していたのが実情です。設計手法はデジタル化されたものの、プロセス全体でデジタル技術を活用するには至っていませんでした。

製造工程を管理する際、以前はサプライチェーン、サービスチェーン、エンジニアリングチェーンを別軸でとらえていました。先行きが不透明で市場ニーズが多様化、複雑化する時代には、部門間の接点を強化し、組織全体を巻き込んだ変革が求められています。それには、上流工程である設計部門のプロセス改革が不可欠です。

ここで注目されるのが「バーチャル・エンジニアリング」。エンジニアリングのバーチャル化、つまり2Dの平面ではなく3Dモデルを使ってバーチャル上で設計を行い、さまざまな環境下でのシミュレーションを可能にするテクノロジーを指しています。

製品開発には、まず企画（ブランドづくり）から始まり、構想設計、詳細設計、試作、量産化というフローがあります。各フローで検討、設計を進めながら詳細な仕様が決まりますが、時に手戻りを繰り返し、テスト等を行いながら進めるのが以前のやり方でした。

自動車なら、最初にターゲットを想定したコンセプトづくり（企画）があり、コンセプトにもとづいてSUVなのかセダンなのかなど、大きな方向性（企画）、仕様を決めます（構想設計）。そして、各モジュールの細かな仕様を決め（詳細設計）、活用シーンを想定した検証、テストを行います。検証、テストはリアルな試作物で行いますが、問題や不具合があると、構想設計で決めた基本的な仕様の見直しまでさかのぼることもあります。構想設計の方向がずれていたり、未熟だったりすると開発の期間工数が増えてしまいます。

バーチャル・エンジニアリングは、企画、構想設計、詳細設計のフローを、3Dモデルを使ったバーチャル環境下で行います。この3Dモデルは、解析、設計、製造などの情報を持っていて、下流工程で決めていた細かな仕様も、構想設計の段階で決められるようになっています。つまり、試作ができる前に仕様を決定できるため、開発の効率化が可能です。

必要なツールを含めて詳しいことは後述しますが、ここでは「バーチャル・エンジニアリングでモノづくりが劇的に変わる」と認識しておいてください。

3Dモデルだから可能な開発リードタイムの短縮

バーチャル・エンジニアリングは製造業の現場に多くの変化をもたらしますが、最も大きなものに「フロントローディングの実現」があります。フロントローディングとは、前倒しできる作業工程を開発の初期段階に行うことで、生産性と品質の向上を実現する仕組みを指します。以前は、検証中や製造中に不具合が生じると、その場で修正を行っていました。製造ラインをストップしたり、金型の調整、設備の確認に時間がかかったり、開発工数が増え、コストもかかるという問題がありました。

その点、バーチャル・エンジニアリングなら、開発上流の設計段階で、3Dモデルによって詳細な仕様を決めることが可能になります。デジタルで行うため、さまざまな解析や検討を高速で繰り返しながら精度を高め、検証・テスト、製造段階での不具合の発生などを抑えることも可能です。結果的にフロントローディングが進み、開発のリードタイム短縮につながります。

市場のニーズが多様化、複雑化する現代、このリードタイムの短縮は、製造業の価値を高める重要なファクターとなります。細分化されたニーズに対応するには、企業は短いスパンで製品開発を進めなければいけないからです。

今、この瞬間は大きな需要があっても、それが長く続くことは稀で、ニーズが移り変わる期間が短くなっていると考えるべきです。一つの製品開発にかけられる時間は短くなる一方、安全基準は世界的に厳しくなり、またＳＤＧｓ等の進展によって、製造物に対する企業の責任は年々重くなっています。経済のグローバル化により価格競争も厳しくなるなど、製造業を取り巻く環境は数年前と比べても大きく変わっています。

そんな環境で持続的な成長を遂げるには、製品ニーズの多様化、製品サイクルの短期化への対応が不可欠であり、それには、バーチャル・エンジニアリングによるフロントローディングが必要になってきます。

リードタイム短縮だけでなく、３Ｄモデルと最新のテクノロジーを駆使した設計の検討により、製品のクオリティも高められます。リアルな試作物で検証、テストを繰り返さなくても、バーチャルによってはるかに厳しい検証を、圧倒的に多くの回数で実行できるからです。製造業の未来は、バーチャル・エンジニアリングとともにあると言ってもいいでしょう。

このバーチャル・エンジニアリングの可能性に着目し、ヨーロッパでは早い段階からオール・ヨーロッパによる対応を行ってきました。各国がさまざまな検討を分担し、歩調を合わせ、欧州全体の工業競争力を高める取り組みの中で、バーチャル・エンジニアリングは重要なテーマとして位置づけられています。そのヨーロッパで、製造業のＤＸが最も進んでいるとされるのはドイツ。その取り組みを少し紹介しておきましょう。

「インダストリー４・０」が描く製造業の未来

ドイツ政府、民間企業、研究機関、業界団体などが、産官学連携によって進めるプロジェクトが「インダストリー４・０」。その目的は、スマートファクトリーを中心としたエコシステムの構築にあります。人間、機械、企業のリソースが互いにつながることで、この製品はいつ製造され、どこに納入されるのか等の情報を共有し、製造プロセスをよりスマート化されたものにすること。

目指すのは、既存のバリューチェーンの改革、新たなビジネスモデルの構築です。整備が進めば、大量生産の仕組みを維持しながら、オーダーメイドの開発、製造も可能な「マス・カスタマイゼーション」が可能になります。製造業全体をデジタル化することで、ニーズが多様化・複雑化する市場に対応しようというわけです。

製造現場のオートメーションは進み、多くの工場が自動化していますが、インダストリー４・０が目指すのは「自律化」です。製造機械がデータを収集し、ＡＩが学習、指示を出すことで製造機械、ロボットを自律的に動かします。ＡＩを活用することで、設備、機器、作業員のデータをもとに、課題の抽出や無駄の見える化も可能になるでしょう。生産効率を高めるだけでなく、標準化によってクオリティのコントロールも容易になります。バーチャルで需要や売上をシミュレートすれば、過剰発注のリスクを減らすことにもつながります。

インダストリー４・０は、ＡＩを活用したスマートファクトリーなど、製造現場での変革視点で語られることが多いようですが、製造現場のデジタル化を進めるには、上流工程である設計開発のデジタル化、つまり、バーチャル・エンジニアリングの浸透が前提になります。設計段階で細かな仕様まで決めた３Ｄモデルがあってはじめて、製造段階での効果的なデジタル化が可能になるからです。

製品開発の流れは、一般に「Ｖ字モデル」で説明することが多くなっています。自動車を例にとると、Ｖ字の左側は「設計軸」で、上からモデル全体、機構レベル（モジュール）、部品レベルとなり、下に行くほど粒度が小さく、部品レベルになっていきます。右側は、そのレベルごとの「検証軸」で、機構レベルの検証は、その部位の機能保証設計を、部品レベルの検証は、各部品の設計の機能保証を示しています。

このＶ字モデルは、宇宙開発の分野から生まれたと言われています。人工衛星や探査機の開発段階

V字モデル

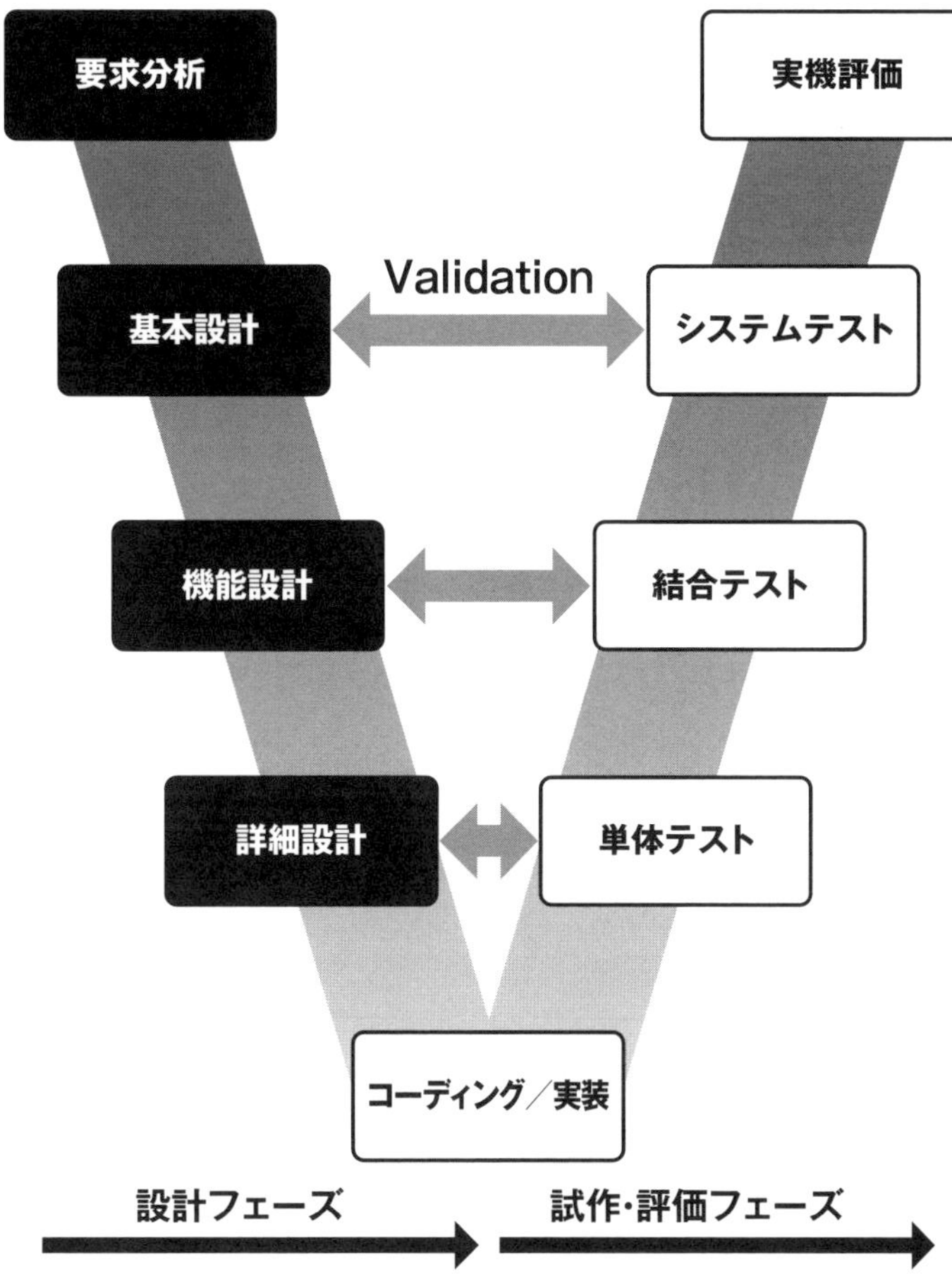

自動車などの工業製品も、ソフトウエアの開発でも、開発と検証・テストの工程の詳細さレベルを揃えたV字モデルが主流。工程の進捗管理がしやすい、手戻りのリスクを減少できるなどのメリットがある。

で、実機を使った検証は最小限に抑えなければいけません。設計、開発には極限に近い精度が求められ、基本はすべてがワンメイク、つまり一点モノであるため、小さなパーツでも莫大なコストがかかります。試作し、検証するというプロセスを実機で繰り返していたら、あっという間に予算をオーバーしてしまうでしょう。

それに、人工衛星や探査機が活動するのは宇宙空間であり、同じ環境を地球上で再現するには限界があります。そこで重要なのが、３Ｄモデルを使ったシミュレーション。Ｖ字モデルの左側、設計の段階で、開発仕様の妥当性を緻密に検証する必要があるのです。

設計プロセスの変革、設計力の強化が世界のトレンド。日本は？

宇宙開発で使われたＶ字モデルの手法は、自動車をはじめ、さまざまな製造業の設計・開発現場に反映されるようになっていきました。従来の手法では、Ｖ字左上の企画、コンセプトづくりから始まり、機構レベル、部品レベルで設計を検討した後、Ｖ字右の検証軸に移り、部品や機構レベルで検証を行い、最終的な実機確認に至ります。実車を走らせた時の挙動や乗り心地は、実際に試作車をつくり、いろいろな状況で運転してみなければわからないと思うかもしれません。確かに以前はそうでしたが、今はバーチャルで検証できるようになっています。

例えば、ドライビング・シミュレーター。一見、ゲームセンターに置かれたゲーム機のようですが、路面状況が０・１ミリ精度で再現された３Ｄマップを使い、シミュレーターで仮想走行すると、タイヤのグリップ、サスペンションの動き、車体の挙動、燃費などをリアルタイムで解析できます。実際の道路を走らなくても、精度の高い検証が可能になっているのです。また、現在の自動車開発では機械系・電子系のハードウエアに加え、制御系のソフトウエア開発が占める割合が高くなっており、３Ｄモデルによるシミュレーションの役割は大きくなっています。

以前は開発、検証、製造の部門がそれぞれ独立して業務を行っていましたが、バーチャル・エンジニアリングの環境下では時間と距離の制限がありません。データを共有できれば、開発、マーケティング、製造、セールスなど、異なる職種の者同士が、３Ｄモデルに対して議論し、よりよい製品に仕上げられるような合意形成が可能です。

これをＶ字フローの左側上部、つまり開発の上流でできるのが、バーチャル・エンジニアリングの最も大きなメリットと言えるでしょう。

ドイツのインダストリー４・０をはじめ、海外の取り組みは、デジタル化による効率性追求という側面だけでなく、バーチャル・エンジニアリングによる設計力の強化という面からも、注目に値します。「デジタルツイン」は、現実世界の環境から収集したデータを使い、仮想空間上に同じ空間を、あたかも双子のように再現するテクノロジーです。

設計にもデジタルツインが利用され、さまざまな情報を紐づけされた3Dモデルをバーチャル空間に置き、設計者だけでなく、開発に携わる多くの人が集まり、議論する。そして、設計段階で細かな仕様を決め、その後の検証・テスト、製造段階での不具合、問題の発生を極力抑えながら、可能な限り短いリードタイムで市場へ投入する。こうした流れをつくることで市場での競争力を高めようとしています。

「MADE IN JAPAN」の威信は過去のものか？

製造業のDXを推進するには、バーチャル・エンジニアリングによる設計プロセスの改革、そして設計力の強化が欠かせません。これは世界なトレンドであり、日本の製造業も例外ではありません。では、日本での取り組みはどんな成果を生んでいるのでしょうか。

日本はモノづくり大国であり、「MADE IN JAPAN」のクオリティは全世界が認めるところで、そこに異論はないでしょう。ところが、「日本の製造業の競争力が低下している」「活力が不足している」といった報道を目にするのも事実です。

日本の製造業の現在を知る上で、さまざまなデータ、示唆を提供してくれるのが『ものづくり白書

（製造基盤白書）』です。２０２２年版は、経済産業省、厚生労働省、文部科学省の3省共同で、２０２２年5月に公開されました。直近の業況を見ると、２０２０年下半期から２０２１年にかけ、大企業を中心に回復傾向にありましたが、２０２２年に入って減少に転じているのがわかります。

新型コロナウイルスの感染拡大の影響からようやく脱しようとしたところで、ウクライナ情勢の悪化などがあり、エネルギー・原材料価格が高騰したのが大きな原因だと考えられます。半導体不足も続いており、加工組立製造業だけでなく、基礎素材製造業にまで影響は幅広く及んでいます。新型コロナウイルスの感染拡大はサプライチェーンの分断化も引き起こしており、製造業にとって厳しい経済環境なのは間違いありません。

短期的に見れば、パンデミックによる景気の後退、半導体不足は重大なマイナス要素ですが、実はそれ以前から、日本の製造業に関してはネガティブな論調が増えていたのです。

ひと昔前、日本製品が世界を席巻していたテレビ、冷蔵庫などの耐久消費財は、中国や韓国企業の勢いに押されています。日常生活を一変させるようなイノベーティブな製品やサービスも、日本からはなかなか生まれなくなっています。

なぜ、日本の製造業から活力が失われてしまったのでしょうか。

理由はさまざまですが、まず「少子高齢化と市場の縮小」があげられます。日本の総人口は２００８年をピークに減少局面に入りましたが、65歳以上の高齢者が占める割合は増え続け、総人口の約３

割に達しています。これは先進国の中でもトップの数字で、国内では人材の確保が質、量ともに困難になっています。

デジタル競争力は「64か国中の28位」という現実

製造現場でのＩＴ活用の遅れも、日本の製造業の課題の一つです。ドイツのインダストリー４・０に象徴されるように、現在の製造業はデータを活用したプロセス改革、経営資源の最適分配により、新しい経済価値を創出する第４次産業革命の真っただ中にあります。ＩＴの活用とＤＸ推進という面で、日本の製造業は出遅れているのが現状なのです。

製造業の現場には、長い年月をかけて積み上げてきた経験、ノウハウ、技術力があり、これらを継承することで持続的な成長が期待できるはずでした。ところが、製造業の現場を支えてきた技術者たちの高齢化が進む一方、前述したように新たな人材の確保が難しいため、継承がなかなか進まない企業が多いようです。

継承がうまくいかない背景には、そもそも仕組みとして構築されていないという側面があります。ベテランの技術者、設計者の知見は、長年にわたる経験の中で培われたもので、属人的で、〝暗黙知〟化しているケースが多く見られます。暗黙知をデータベース化し、若い世代と共有しようとしても方法がわからなかったり、そのための専門知識をもつ人材を確保できなかったり、という問題もあります。働き方の多様化とともに人材の流動性が高まっていることも、技術の継承を難しくしている要因の一つです。

このように、さまざまな課題を抱える日本の製造業ですが、解決には、高齢者や女性の活用を含めた雇用の拡大もさることながら、特に設計領域に関してはＩＴ・ＡＩなど最新テクノロジーを活用し、暗黙知化している経験やノウハウを見える化する取り組みが必要です。

国は『ものづくり白書』で警鐘を鳴らしていますが、かつてのモノづくり大国の勢いが失われている面は確かにあります。２０２２年版『ものづくり白書』には、スイスの国際経営開発研究所が公表した「世界デジタル競争力ランキング２０２１」があり、日本のデジタル競争力は64か国中、28位と低迷しています。ことに「デジタル・技術スキル」項目に関しては62位となっており、課題が浮き彫りになったと言えそうです。

日本の製造業でのＩＴ投資額の推移を見ると、有形（情報通信機器）資産と無形（ソフトウエア）資産のいずれも横ばい状態。ＤＸの重要性が強く指摘され、危機感をもつ経営者も増えていますが、投資額が増えているわけではないのです。コロナ禍で経営環境が厳しかったという面はありますが、国家規模でプロジェクトを進めるヨーロッパの製造業と比較すると、どうしても物足りなさを感じてしまいます。

進むべき方向を示し、肩を押し、伴走しながら支援する存在が必要

では、どうすれば日本の製造業が活力と競争力を取り戻せるのでしょうか。2020年版と2021年版の『ものづくり白書』では、「ダイナミック・ケイパビリティ（企業変革力）」の強化が最も重要と指摘されていました。白書では次のように記しています。

「ダイナミック・ケイパビリティとは、環境や状況が激しく変化する中で、企業が、その変化に対応して自己を変革する能力のことである」

企業にはもともと内部に含有する経営資源を利用する能力（ケイパビリティ）があり、これが競争力の源泉とされてきました。ただ、内側にしか目を向けず、かつての成功体験に固執してしまうと、戦略そのものが近視眼的になり、硬直化してしまう恐れがあります。

変化が激しく、不確実性が高い現代は、変化への対応が重要な経営課題となります。もともともっている経営資源や強みだけに頼るのではなく、外に目を向け、社会の変化や市場のニーズを見極めながら的確に自己変革を行い、競争力を高めていく……そのために必要な能力がダイナミック・ケイパビリティというわけです。

ダイナミック・ケイパビリティは次の3つの能力に分類されています。

・感知（センシング）　脅威や危機を感知する能力
・捕捉（シージング）　機会を捉え、既存の資産・知識・技術を再構築しながら、競争力を獲得する能力
・変容（トランスフォーミング）　競争力を持続的なものにするため、組織全体を刷新し、変容していく能力

『ものづくり白書』では、日本の製造業にはダイナミック・ケイパビリティが不足していると指摘しつつ、強化する施策として「デジタル技術の活用」を挙げています。データの収集や分析により、脅威や危機を感知する能力は高まるでしょうし、ＡＩによる環境変化の予測によって、不確実な事象におけるリスク低減が期待できるでしょう。

機会を捉え、リソースを再構成する。つまり捕捉という観点でもデータの収集、分析は大きな意味をもちます。顧客データをフィードバックし、製品の開発・設計に役立てることができれば、市場が求める体験価値、つまり「コト」をつくり出せる可能性も高まるでしょう。デジタル技術、データを活用することで、組織を変容させる力が強化され、それがＤＸの推進につながっていくのです。

実際、製造業のあらゆる場面でダイナミック・ケイパビリティが求められています。『ものづくり白書』では設計工程の重要性にふれ、デジタル技術の導入による変革の必要性を強く促しています。

ロボットの導入等、生産現場のデジタル化は容易にイメージできるところですが、それに関しては以前から取り組んでいる企業も多く、現場ではデジタル化が進んでいます。

国が設計工程の重要さにふれるのは、製品の品質とコストの大半がそこで決まるからです。開発の工程が進むにつれ、製造設備などが確定していくため、仕様変更の自由度はどんどん低下していきます。そして設計が完了した後は、極めて限られたものになってしまいます。

自由度が高いのは、開発の上流工程である設計段階です。ここに資源を投下することで、問題点の早期発見、後工程からの手戻り防止を実現しながら、リードタイムの短縮と品質向上が両立され、それが競争力を高めるポイントになります。

設計段階のデジタル化、データの利活用。それを実現するために欠かせないのが、ここで強調してきた「バーチャル・エンジニアリング」です。

繰り返しになりますが、設計をバーチャルの世界で行い、試作品の検証の手間を極力抑えることで、開発リードタイムを短縮しながら、高精度・高品質かつ、柔軟な仕様変更を可能にする手法がバーチャル・エンジニアリング。『ものづくり白書』では、製造業が競争力を維持・強化するために、バーチャル・エンジニアリングが大きな役割を果たすと強調しています。

各国のICT投資額の推移比較

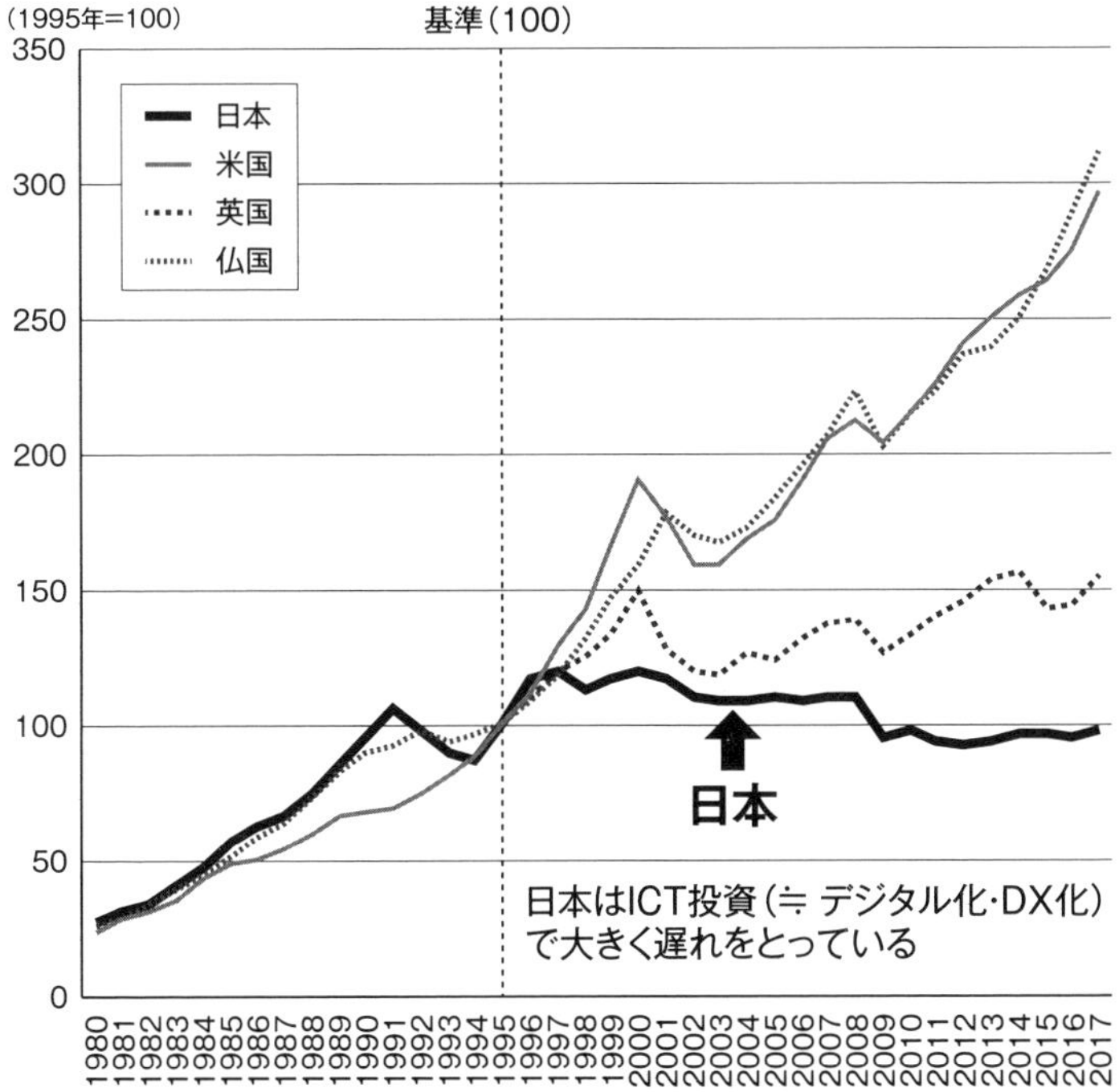

総務省「情報通信白書　令和元年版」より抜粋
(出典) OECD Statを基に作成

日本のICT投資が諸外国に比べて物足りないのは、数字を見ても明らか。製造業に限っても同様の傾向があり、今後、製造業DXを急ピッチで推進するには思いきった投資が必要になる。

設計力を強化するにはバーチャル・エンジニアリングが要であり、その取り組みが「モノづくりからコトづくりへ」というゲームチェンジの時代に欠かせないことを、多くの製造業の経営者が感じ、現場の人間も理解しているはず。ところが、その設計開発の工程で、プロセス改革が遅れているのも事実です。必要性を理解しながらなかなか導入が進まない。変わらなければと思いながら、なかなか変われない。その理由として大きいのは「どこから始め、何を目指せばいいのか、確信が持てない」からではないでしょうか。

進むべき方向を示し、一歩踏み出すために肩を押し、伴走しながらプロセス改革を進める存在となる。プログレス・テクノロジーズが目指している立ち位置は、ここになります。

第二章　日本の製造業に新しい風を！
大切なのは「ワクワク」するか

最高品質を生み出していた現場の「職人技」

前章でドイツのインダストリー４・０についてふれましたが、世界の製造業は今、歴史的な変化の過渡期にあります。

中国は「Made in China 2025（中国製造２０２５）」という長期経済計画を掲げ、国内での新産業の創出、生産性向上、雇用創出に向けた基本方針と原則を打ち出しています。世界の工場という立ち位置から脱却し、建国１００周年の２０４５年までに「製造強国のトップ」になると、国をあげて進めているところです。

アメリカではオバマ政権時代から製造業の未来に危機感を抱き、変革に向けた取り組みを行ってきました。民間でも、ＧＥ、Ｉｎｔｅｌ、Ｃｉｓｃｏ Ｓｙｓｔｅｍｓ、ＡＴ&Ｔ、ＩＢＭといった世界的な大手企業が中心となり、「Industrial Internet Consortium（ＩＩＣ）」を立ち上げ、ＩｏＴやネットワークを駆使した製造業現場のデジタル化を推進しています。

製造業の世界では21世紀の覇権をめぐる競争が厳しさを増していますが、日本の製造業は存在感を示していけるのでしょうか。

20世紀のある期間、日本の製造業が世界市場を席捲していたのは間違いありません。高品質でリーズナブルな日本製品はモノづくり大国の象徴であり、経済成長を牽引する存在でした。現在も高い競争力を持つ領域はたくさんあります。自動車の信頼性は揺るぎない地位を確立していますし、半導体の製造装置などの産業機械の分野では、技術と経験を背景にした完成度、精度の高さで世界的に評価されています。

一方、前章でふれたように国際競争力の低下、独創的なイノベーションが生まれないなど、ネガティブな論調が増えているのも事実です。特に耐久消費財では中国や韓国などの勢いに押されている印象があり、ＤＸに関しては十分に推進できていない側面もあります。

こうした状況を招いた原因はどこにあるのでしょうか。

原因、つまり弱みですが、それを知るには逆に、日本の製造業の「強み」はどこにあったのかを再認識すべきかもしれません。日本の製造業の強みは、ひと言で表せるものではありませんし、すべての製造業にあてはまるものでもありません。それを承知した上であげるなら、「製造現場の力」というところでしょうか。

例えば、２Ｄの図面には加工、プレスによる素材の変形までは細かく記されていません。図面から実機に起こしたらどうなるか。細かな修正は製造現場で加えられますが、修正は図面の寸法公差（基準寸法に対して許容できる範囲を指示したもの）の範囲内で行われます。

それを可能にするのが熟練の職人の感覚で、ミリ単位、ミクロン単位での修正と調整を繰り返しながら、少しずつ精度を高めていきます。最終的な製品の品質を決定づけるのは、製造現場の人の手、職人の腕や目にかかっていたとも言えます。

設計図面に多少の不備があったとしても、実機を製作する検証段階でエンジニアがそれに気づき、フィードバックすることもあるでしょうし、製造現場から仕様に関して提案が発せられることもあります。設計と検証、製造の現場が一体となり、少しずつ精度を高める「すり合わせ」が日本の製造業の強みであり、高品質の製品を造りあげる極意でした。

日本の製造業の強みが、弱みになっている可能性

妥協を排して品質を追究する職人魂。「モノづくりはかくあるべし」が製造業の常識であり、実際に評価を受け、成果も残していたのですから、そのやり方を疑わなくても不思議はありません。

確かに経験豊富なエンジニアが、それぞれの工程で緻密なチェックを行い、設計仕様を決めていく方法は、理想のモノづくりの姿と言えるでしょう。今でも、そのやり方で競争力を維持している企業なら、なおさらです。

ただ、このやり方には問題もあります。それは、設計から量産まで時間がかかること。「丁寧に仕

事をしている」と言えばそのとおりなのですが、市場のニーズが短いスパンで移り変わる今、その丁寧な仕事の進め方が逆に弱みになってしまうこともあります。

こうした製造現場での微細なつくり込みは、日本の製造業ならではの特徴であり、欧米には真似のできないものでした。欧米で製造に携わるのは、エンジニアではなくワーカーであり、仕様通りに作業するのが彼らの仕事です。日本のような終身雇用制度はなく、人材流動化が激しいため、経験値が蓄積されにくかったという面もあります。

そこで、製造現場が弱い欧米の製造業は、デジタルテクノロジーを使い、設計現場でのつくり込みの精度を上げることを目指しました。それがバーチャル・エンジニアリングの導入につながっていったと考えられます。

バーチャル空間の３Ｄモデルで検討すると、そこには設計、製造の担当者だけでなく、マーケティング、企画、セールスなど、より多くの領域のエキスパート、そして一部のユーザーまでを巻き込むことができます。多様化、複雑化する市場ニーズを察知し、設計段階で詳細仕様まで決定するため、開発のリードタイムも短縮できるでしょう。

バーチャル・エンジニアリングでは、前述した「すり合わせ」の範囲が広がり、頻度も格段に上がります。設計と現場で行っていた日本の「すり合わせ」では、追いつかない状況が生まれても不思議ではありません。ここに、日本の製造業の競争力が低下したと言われる理由の一端があるのではないでしょうか。

つまり、ずっと強みだと思っていた設計のプロセスが、バーチャル・エンジニアリングの登場により、逆に弱みになってしまった可能性があるのです。

過去の成功体験が大きすぎるため、思いきった変革が進まない

ニーズが多様化、複雑化すると同時に、「製品のライフサイクルが短縮傾向にある」のも現代の市場の特徴です。市場に投入されてから、撤廃されるまでのサイクルが短くなっているのです。背景には、市場ニーズの変化はもちろん技術革新のスピードもあるでしょう。対策として重要なのがブランド戦略、コミュニケーション強化によるユーザーのファン化です。

以前なら、モデルチェンジしたから買う、新しい機能が追加されたから買うなど、モノの価値そのものが消費を後押しする大きな要因でした。しかし、「モノづくりからコトづくりへ」の時代では、モノの価値ではなく、どんな体験をもたらしてくれるのか、共感できる物語（ブランドストーリー）があるかなど「コト」が付加価値であり、消費のトリガーになるのです。

日本の製造業にとって、付加価値は「品質」であり、品質を極限まで高めるために製造現場の〝モ

ノづくり力〟が問われ、磨かれてきました。世界中の製造業の現場が同じプロセスで開発、製造をしていたら、時間をかけてモノの品質に徹底的にこだわる、日本の手法の右に出る国はなかったかもしれません。

繰り返しになりますが、現在の市場はモノそのものにではなく、サービスやソリューションを含め、コトとして体験できる価値を求めるようになっています。単に良いモノ、新しいモノをつくれば売れるわけではなく、ユーザーや市場のニーズにぴったり合致し、今までなかった体験ができるかどうかが選ばれるポイントになります。

欧米の製造業は巨額の投資を行ってデジタル化を進め、バーチャル・エンジニアリングによって多様化、複雑化するニーズに応える「コトづくり」ができるよう、設計プロセスの改革に挑みました。日本の場合、多くの製造業の現場に共通するのは、過去の成功体験が大きすぎることです。世界一と言われる高品質を生み出してきた、技術者としてのプライドもあるでしょう。経済不況や構造的な問題も複雑に絡み合い、製造業にかぎらず世界で起きている変化への対応が遅れてしまった。それを認めざるを得ない状況にあります。

変化の必要性を感じながら、過去の成功体験やプライドが足かせになり、思いきった方向転換ができない。そして、いわゆるイノベーションのジレンマに陥っている可能性があるかもしれません。

製造業DXの基点は、情報を分断せず共有するところにある

改善を重ねる優良企業であっても、新しい革新的な技術を軽視してしまい、競争力が低下してしまう状態がイノベーションのジレンマです。現在、自社がもつ技術の延長線上にない新しいテクノロジーにどう向き合うかは、経営者にとって難しい意思決定を伴います。大手企業ほど、新しいテクノロジーが未熟に映り、投資に対する費用対効果を考えた時、大胆な決断を行うには躊躇してしまうのではないでしょうか。

そうして新たなテクノロジーを持つベンチャー、スタートアップなどの新興企業が登場しても、大きな脅威とは感じないまま、市場が大きく変わるタイミングに乗り遅れてしまうのです。自社がもつ既存の技術に固執しすぎると、潮目の変化を読み誤ってしまう場合もあります。

その結果、多様化、複雑化する市場ニーズへの対応が遅れ、競争力が低下する。そんな状況に置かれている企業は少なくないはずです。

そこで求められるのが、テクノロジーを活用したドラスティックな改革であり、前述したダイナミック・ケイパビリティです。欧米の製造業が、バーチャル・エンジニアリングによって大きく変わろうとしているのは前述した通り。手法をそのままなぞる必要はありませんが、日本の製造業は、これ

まで培ってきた強みを生かしながら自己変革する時が来ていると思います。

デジタル化は今に始まったことではなく、製造現場も設計現場も、以前からデジタル・テクノロジーの導入を積極的に進めてきました。特に製造現場に関しては、効率化、生産性向上につながるオートメーション化が普及しています。

ただ、設計現場のデジタル化は十分に進んでいるとは言えず、３ＤＣＡＤデータだけで設計している企業は決して多数派ではありません。多くの企業の現場では今も２ＤＣＡＤが使われ、紙の図面として後工程に情報を渡しているケースがあります。試作した実機による検証で設計上の問題を洗い出し、製造現場と設計のすり合わせで品質を高めるプロセスなら、それでいいかもしれません。ですが、紙の図面と現地現物への依存度が大きければ、どうしても手戻り等の作業が増え、リードタイムを短縮するのが難しくなります。そこをデジタルでどう改善するかが大きなポイントです。

紙の図面と現地現物に依存するプロセスの問題は、設計情報が至る所で分断してしまうところにあります。バーチャル・エンジニアリングの場合、設計段階で構築される完成度の高い３Ｄモデルを基点に、後工程までスムーズに情報が流れ、共有されていきます。一方、紙の図面と現地現物の場合、設計は３ＤＣＡＤで行っても、その後の図面作成、試作、検討、製造の各プロセスで分断が起こりがちです。

設計情報が分断せず、上流工程の設計から製造までの各工程で共有できる仕組みをつくることが、ＤＸを進めたい製造業の場合は欠かせません。

唯一無二のエンジニアリング・プロフェッショナルファームとして

ソリューションを導入するプロセスにも注目しています。これは最近始まったわけではなく、日本の製造業が構造的に抱えている課題でもありますが、ソリューションと設計現場のミスマッチというものがあります。

製造業の大手企業が設計部門のＤＸに取り組むため、課題の洗い出しや計画の立案をコンサルティングファームに依頼したとします。この際、コンサルタントから提供されるのは、現状分析レポートやあるべき将来像、実行計画までにとどまり、具体的なソリューションの導入から運用までは携わらないケースが少なからずあります。

実際にソリューションを導入する場合には、販売会社であるベンダー企業が関わってきます。実行計画に基づき、必要なソリューションを提案してくれますが、導入の段階になって現場の課題解決にそぐわないことが判明するケースも見られます。あるべき姿を考える人と実際に手を動かす人の間で情報共有が十分でないと、設計現場が真に求めているソリューションに届かないこともあるのです。

求めているものとは微妙に違う。でも、新しく導入したからには使わなくてはいけない。そんな歪んだ構図が生まれて、結果的に設計現場が混乱、疲弊してしまうことも。

最近、「ＤＸ疲れ」という言葉が聞かれるようになりましたが、設計現場のＤＸ疲れの原因の多くはここにあるのかもしれません。こうした課題を解決しながら、設計プロセスを変革し、日本の製造業の強みを生かしたＤＸをどう実現するか。これが本書のメインテーマであり、プログレス・テクノロジーズが得意としている領域でもあります。

「唯一無二の、エンジニアリング・プロフェッショナルファーム」

プログレス・テクノロジーズをひと言で表すと、こうなります。エンジニアリングの会社であり、製造業の製品開発支援がコア事業であり、設計開発領域に特化して、大手メーカーを中心にさまざまなサービスを展開してきました。私たちの特徴は、設計開発を行うエンジニアリングと、設計開発のプロセスそのものを、クライアント企業と一緒に改革するコンサルティング＆ソリューション。この両輪をバランスよく回しながら、製品開発を面で支援するところにあります。

面での支援を言い換えると「コンサルから設計実務まで、ワンストップのトータルソリューションで提供する」です。エンジニアリングだけの企業、コンサルティングだけの企業とは違い、トータルで支援できるところが私たちの強みであり、唯一無二の存在だと自負しています。

どうして特別な立ち位置にいることができるのか。ここで、会社の成り立ちをまとめておきます。

設計の現場に生じたアナログとデジタルの乖離

プログレス・テクノロジーズは2005年、現・代表取締役の中山岳人を含めた4人のメンバーで創業しました。創業メンバーは国内企業、外資SIの営業職、コンサルタント。エンジニアリング領域でキャリアを積み、その領域での知識、経験が豊富で、何よりモノづくりが大好きという共通点がありました。キャリアだけでなく、仕事を通じて芽生えていた問題意識も共通していて、各人のモチベーションが合致していました。

それは、技術も経験も才能も十分にあるエンジニアが「持てる力を存分に発揮できていない」、「いつも疲弊しているように見える」というもので、本来、大好きなモノづくりに携わりながら「楽しそうに仕事をしていない」のは放っておけない問題だと感じていたのです。

創業メンバーがキャリアをスタートさせたのは、1990年代後半のこと。携帯電話やパソコンが本格的に普及を始めた頃で、製造業の現場では「より小さく」「より高精度に」が求められていました。追究しようとすると人間の手作業では限界があり、デジタル化とシミュレーションの技術が必須になります。そこで問題になったのが、アナログとデジタルの乖離です。現場は職人気質が根強く、デジタル化にうまく対応できていませんでした。

困った企業は、コンサルティングファーム、ベンダーに相談します。すると、世界で進められている取り組みを例にあげながら「これからの時代はこのツールを使わないと勝負できません」と、さまざまな提案がなされます。当時、対応にあたることが多かったのは企業の上層部で、エンジニアリングの知識が豊富な人間ばかりではありません。提案されるまま、ツールの導入を決め、それを現場に渡すこともあったようです。

ある日いきなり新しいツールを示され、「これでデジタル化を進めろ」との命が下る。そのツールが現場の実務に即したものならいいですが、外部企業と上層部が合意した決定には、現場の声が十分に反映されていないケースもあり、必ずしも最適なものが導入されるとはかぎりません。実務にそぐわないツールだったとしても、そこには大きなコストがかかっているので、簡単に中断するわけにもいきません。

こうして、アナログとデジタルの融合が中途半端なまま実務を続けると、エンジニアは疲弊することになります。

上層部は喫緊の課題と受け止め、デジタル化を進めようとします。コンサルタントやベンダーは自分たちの職責の中で、ベストと思える提案をします。でも、決定的に欠けているものがありました。それは「現場目線」です。

現場で何が起こっているのかを把握せず、海外で成果が出ているからという理由でツールを導入しても、うまくいかないことのほうが多いのです。現場のエンジニアは、ツールを理解し、どう使うかに時間を取られ、最も肝心な「アウトプットの質を高める」にたどり着く前に疲弊してしまう。そんな現場を見てきたプログレス・テクノロジーズの創業メンバーは、現場の課題感をつぶさに把握しながら、伴走するようにツール導入を行い、成果が出るまで一貫してサポートする「存在」が必要だと思うようになりました。そうしたサポートができてはじめて、設計開発の現場はレベルアップするに違いないからです。

製造業の現場に火を灯し、ワクワク感を感じたい

薄型のパソコンを設計する時、内部の熱をどう逃がすかが重要なポイントになりますが、アナログでは試作して検証し、だめならまた試作して、を繰り返さなくてはいけません。それをデジタルでシミュレーションできるようになれば、試作機をつくる時点で精度を高められます。すると、後工程に進んでからの手戻りを抑えられるため、開発期間を短縮することもできるでしょう。今は「フロント

ローディング」と呼びますが、それと同じ取り組みを私たちは20年以上前から行おうとしていました。

日本の製造業に対して「競争力が低下している」「活力がなくイノベーションが生まれにくくなっている」といった論調は、当時から少しずつ聞こえてきました。創業メンバーは、モノづくりの現場を支援しながら「本当にそうだろうか」と感じ、「もっと自分たちにできることがあるはず」と感じて起業に至ります。

なにしろ優秀なエンジニアがいて、仕事に対する意欲も十分にある。技術も能力も申し分なく高い。でも、その意欲、技術がモノづくりにうまく反映されていない。なぜか。夢を見る力、夢を語る言葉を見失っているからではないか。

そう、創業メンバーがなにより大事にしたいと思ったのは〝ワクワク感〟でした。

エンジニアリングの現場が疲弊しているとワクワク感を感じることはできません。アナログとデジタルの乖離だけでなく、開発内容そのものにも原因があったかもしれません。高度経済成長期からバブル期まで、製造業の現場はとにかく新しいモノづくり、ゼロベース設計が中心でした。自分が手がけたものが国内初・世界初の製品として市場に投入されるのですから喜びは大きく、エンジニアとしてのやりがいを感じてキャリアを築いてきたはずです。

その後、社会の成熟とともに消費傾向が変わり、製品開発もゼロベースではなく流用設計が多くなっていきます。既存のモデルをベースに、より小さく、より薄く。コストダウンも至上命題となり、自由に発想していた現場は圧力を感じるようになっていきます。その結果、夢を見る力、夢を語る言葉を見失ってしまったのではないでしょうか。

モノづくりの魅力はどこにあるのでしょう？

答えは一つではありませんが、「新しいことに挑戦する」「未知の世界に踏み込む」ことは疑う余地のない魅力です。そこから生まれる高揚感、ワクワク感がモノづくりの源泉だと思います。新しいことに挑戦すると、最初はまったく見えなかったものが少しずつ輪郭を帯びて形が見えてきます。旺盛な好奇心とともに作業に没頭するうちに知識が蓄積され、スキルが研ぎ澄まされて、その先に新しい景色が見えてくるのです。

頭を働かせて、まだ誰も見たことのない景色を見せる、未来をつくる。それには絶対、ワクワク感が必要です。これを創業の心とし、製造業の現場にイノベーションを起こすような存在になりたいと思い、プログレス・テクノロジーズは発進しました。

自社製品開発で、設計と製造現場の課題をリアルに知る

創業メンバー全員がエンジニア出身というわけではありませんが、前述したように製造業の設計現場に課題が山積していることはわかっていました。設計のエンジニアたちは日々の仕事に追われ、自

分が今やっていることで手一杯で、プロセスのどこに問題があるのかを客観的に見るのは難しいものです。ビジネスサイドの人間が、設計現場の課題や苦しみを理解しないと、なかなか解決には至りません。

日本の場合、そうした立ち位置で現場をサポートするのは、ほぼ技術系のコンサルティング会社になります。知識はあるにせよ、実際に設計の現場で手を動かした経験のある人は少ないでしょう。その意味で、私たちが自らを「エンジニアリング・プロフェッショナルファーム」と呼ぶのは、現場のエンジニア視点をもち、真の課題解決に向けて伴走できるからです。

代表の中山は「設計現場の主治医」という表現を使います。最近は「かかりつけ医」とも呼ばれますが、「主治医」とは、ある患者の治療方針全般に対して、主たる責任を持つ医師のこと。設計現場が陥っている状況は、生活習慣病にたとえられるかもしれません。日々の習慣の中に埋もれているため、本人から原因は特定しにくいものですが、主治医が診断し、改善のための方針を立て、実践することで、よりよい身体づくりができるでしょう。それと同じように、私たちも主治医として設計現場に寄り添い、診断し、進むべき道を共に考え、伴走する存在でありたいと思っています。

また、私たちは自らモノづくりにも挑戦してきました。知識や経験値、海外の成功事例のリサーチなどでサービスを提供するのでは他社と変わらないからです。そこで創業時から、請け負いではなく、自分たちで企画から設計、検証、製造、販売まで行うモノづくりに取り組み、製造業の課題をリアルに体感しようと決めていました。

ここで、これまで形にした製品の中から、超高精細電子マンガ『全巻一冊』をご紹介します。

『全巻一冊』は、マンガ専用のブック型電子書籍リーダーです。電子書籍の普及で、マンガは隙間時間に気軽に買って読めるようになっています。利便性がある反面、作品に没入する感覚や、コレクションする楽しみは薄くなっているように感じていて、それらを両立させるモノができないかが出発点でした。電子書籍の利便性と、紙ならではの触感を融合させた、当時としては画期的な電子マンガでした。

開発にあたっては、細かなところにこれでもか！というほどこだわりました。

表紙は紙でつくり、見た目も手触りも紙のマンガそのもの。『全巻一冊』の表紙用に、新たに原作者にイラストを描き下ろしてもらい、話題になりました。マンガを表示する電子ペーパーも徹底したチューニングを行い、紙のように自然な見え方になるようあえてバックライトを使わない選択をしました。さらに、片ページずつの表示ではなく、マンガの演出の1つである見開き表現をそのまま楽しめるよう、見開きページの構造にしました。

『全巻一冊』はマンガに特化したため、他の電子書籍リーダーと比較して、圧倒的に高精細かつ、

©岸本斉史 スコット/集英社　©武論尊・原哲夫/NSP 1983, 版権許諾証 EJ-708
©空知英秋/集英社　©久保帯人/集英社　©許斐剛/集英社　©冨樫義博 1990-1994年

マンガ専用のブック型電子書籍リーダー「全巻一冊」は、紙の質感を徹底的に意識してつくり込まれており、漫画家からも高く評価されました。名作を中心にコンテンツも豊富で、海外での販売実績もあります。

きれいな描画を実現しています。見開きページというところも新しく、出版社、そして漫画家の先生からも高く評価していただきました。アメリカでの販売も行ったほどで、創業間もない小さな会社が自社開発した製品としては成功だったと言えるでしょう。

製品をゼロから開発する経験をしたことで、設計現場の課題をよりリアルに考えられるようになりましたし、私たちの経営理念は間違っていないと感じることもできました。

そう、大切なのはワクワク感です。

開発を1社で完結させる時代から、協業する時代へ

創業当時と現在を比較すると、製造業を取り巻く環境は大きく変わりました。まず製造するものが変わり、以前は家電を中心に耐久消費財の開発がメインでした。今は、半導体などの検査、製造装置、それを動かすためのデバイス、電子部品など、高い精度が要求されるＢｔｏＢの領域で、日本企業が強みを発揮しています。

市場のニーズとともに開発要件も変わってきました。自動車を例にすると、以前は大排気量のエンジン、大きなパワー、高級なインテリアが価値を高めていましたが、今は燃費が優先され、小さなエンジンとモーターの組み合わせが増えています。一部の高級車を除き、インテリアの仕様も基本はシンプル。過度な装飾やつくり込みは敬遠される傾向にあります。

自動車の開発という領域は同じでも、求められるものが変わっている以上、開発のプロセスを見直さなければいけません。長い年月をかけ、技術の粋を詰め込んだ野心的なニューモデルを開発したとします。以前なら市場から大歓迎されたはずですが、今もそうなるかどうかはわかりません。市場の

ニーズに合致したものでなければ、さっぱり売れないかもしれません。

現代の自動車開発で優先されるのは、性能を追いかけるのではなく、ユーザーがどんな価値を体感できるか。製品単体を開発する「モノづくり」ではなく、それがどう使われ、ユーザーとの間にどんな関係を構築できるか。つまり「コトづくり」に重点が置かれます。

製品単体の性能を突き詰めるモノづくりと、ユーザーの体験を優先するコトづくりではフォーカスするポイントが変わってきます。モノづくりでは、それまで培ってきた技術、経験の延長線上で進化・深化させることで最適解が得られますが、コトづくりでは異なります。従来の技術、経験以外の要素、発想が必要になり、複眼的な視点で開発、設計を進めなければいけないからです。電動化にはモーターとバッテリーの技術が必要になり、自動運転にはセンシング、緻密な制御の技術が求められます。

未経験の領域の技術、最新のテクノロジーを含めて開発する場合、これまで以上に試行錯誤を重ねなければいけないでしょう。試作品をつくり、現地現物で検証しようとすると膨大な手間とコストがかかります。そこでデジタル化が必須となります。３Ｄモデルによるシミュレーションで幅広い要件から細密な点まで検討を行い、設計段階で細かな仕様をつくり込む必要があります。デジタルなら現地現物の何倍、何十倍、何百倍ものシミュレーションが可能になり、あらゆる可能性を検討できます。

近年、産業界のあらゆる領域でＤＸがクローズアップされていますが、その多くは、１つのプレーヤーで完結できるものではありません。製造業では特に顕著になっており、特定のメーカー1社で、スピード感を持ってＤＸを推進するのは難しくなっています。テクノロジーと、それを生かすノウハウを持つパートナーの重要さが増しており、そこに私たちの存在意義があるのです。

ドイツをはじめとする欧米諸国、そして中国では、製造業のＤＸが進んでいると述べました。それに比べると、日本の製造業のＤＸが遅れているのは事実です。ただ、ＤＸの進展具合だけを見て「日本の製造業は劣っている」と評価するのは違うと思います。要は戦い方で、日本は日本の強みを生かしたＤＸで勝負すればいいのです。

仮に海外で成功している事例があるとします。それを、そのまま日本の製造業の現場に持ち込んだとしても、うまくいかない可能性が高いでしょう。忠実になぞればデジタル化は進むでしょうが、そこに日本の良さや強みがビルトインされなければ、あくまでも二番煎じであって、抜きん出た製品にはならないはず。

では、どうすればいいのでしょうか。

ツール導入の目的化という「製造業あるある」に陥っていないか

ドイツに比べて、中国に比べてどうだと比較してもあまり意味はありません。日本には日本に合ったやり方があり、それを武器に世界と戦っていけばいいのです。日本の良さ、強みは、ここまで繰り返しふれてきたように、職人気質の現場が持つ経験、技術、ノウハウです。ただ、それは属人化しやすく、デジタル化しにくいという問題があります。ということは、アナログな暗黙知をデジタル化し、若い世代を含めてみんなで使える〝共有知〟にすればいい。ここに、製造業が競争力と活力を取り戻す突破口があるのではないでしょうか。

プログレス・テクノロジーズは、大手メーカーに対して、設計開発の領域に特化したサービスを提供しています。どうして設計開発に特化するのか。それは、企画から製造までのプロセスにおいて、最も上流工程である設計開発力を変革し、強化することで、世界と戦う競争力を手にできると考えるからです。

欧米で進むバーチャル・エンジニアリングについて、日本の製造業の現場でも情報はチェックしていますし、自分たちも時代や社会に合わせて自己変革しなければと、危機感をもっている企業も多いはずです。

設計プロセス改革、私たちは「Ｍａｋｅｒｓ ＤＸ」と呼んでいますが、これを成功させるには、設計開発部門、改革部門、ＩＴ部門のすべてが目的を共有し、具体的なプロジェクトに落とし込んでいく必要があります。

それぞれ危機感を持って課題に向き合うものの、思うような成果につながらないのはどうしてでしょうか。

理由の1つとして考えられるのは、ツール導入が「目的化」してしまうことです。

一般的に、システム導入を伴うプロジェクトは、企業のＩＴ部門主導によって進められるケースが多くなります。その際、ＩＴ部門が直面する課題は「いかに現場に納得して活用してもらうか」。設計の現場は「現場の業務を十分に把握しないままのシステム導入、進め方」に拒否反応を示すことが多いからです。ここで意思疎通がうまく取れていないと、良かれと思ったシステム導入が「目的化」してしまい、作業効率が落ちてしまうことさえあります。

プログレス・テクノロジーズは、ＩＴ部門と設計部門の橋渡しを担える存在です。詳しくは後述しますが、設計プロセス改革の独自メソッドがあり、現場の設計経験と、最先端ツールを活用するスキルを持つコンサルタント、ソリューションスペシャリストが現場に入り、すべての関係者を巻き込んでプロジェクトを進められるからです。

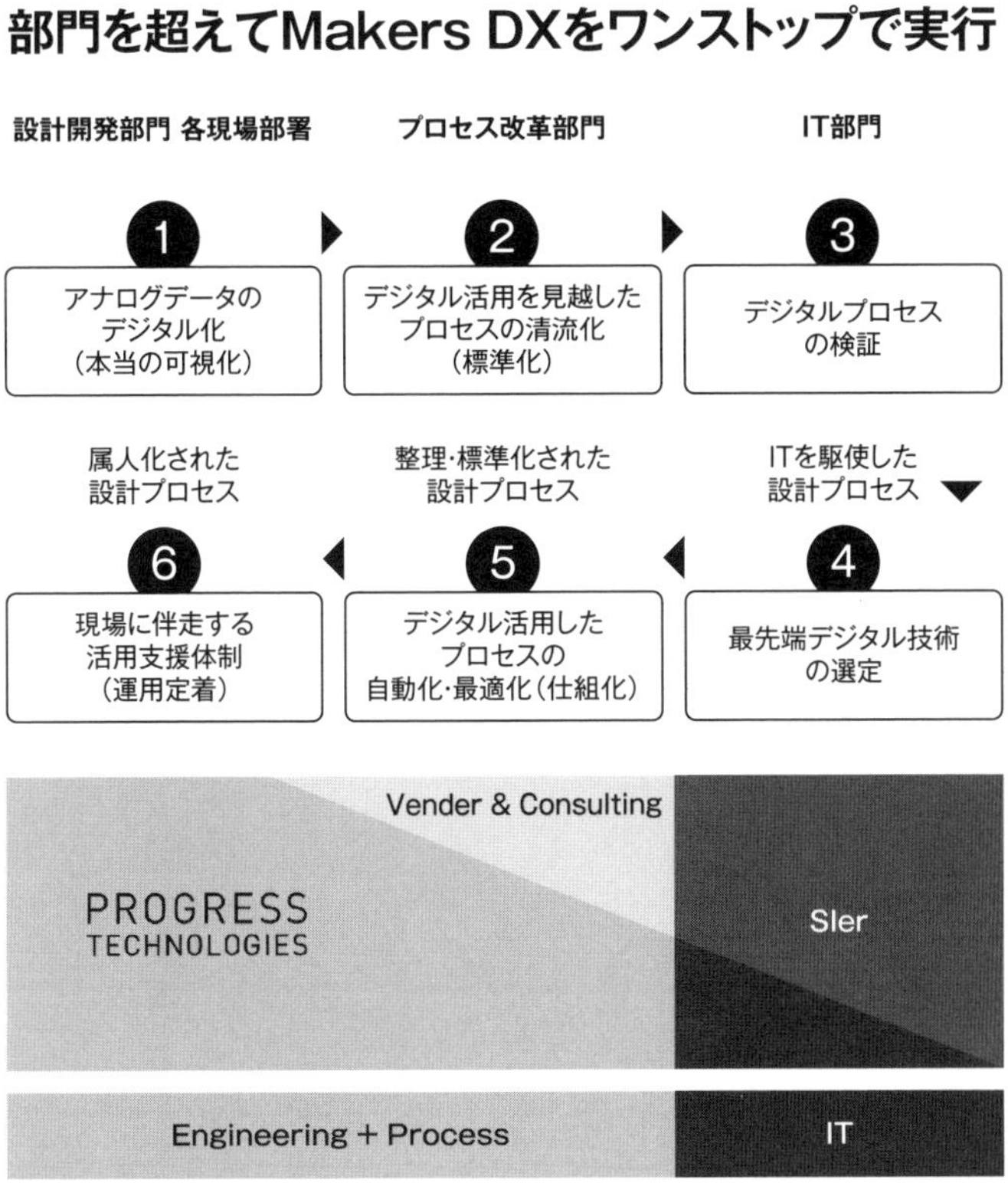

設計開発の現場とIT部門といった領域を超えてさまざまなサービスをワンストップで提供できる体制がプログレス・テクノロジーズの特徴であり、大きな強みになっている。

始まりは、設計開発の現場が抱えている課題は何か、設計者は日々どんな思いで仕事をしているか。リアルな課題を抽出し、解決に最適なソリューションは何かを、現場と一緒になって検討していきます。ここで重要なのが属人化、暗黙知化しているアナログなノウハウを、デジタル技術を駆使して、共有データ化することです。それがなされて初めて、具体的な設計プロセスの改革に着手できます。

設計現場に寄り添い、一緒になってプロセス改革を進める

それぞれの設計開発の現場に寄り添い、課題を抽出、解決し、段階的に設計プロセス改革を実行していく。傍《はた》から見たら、非効率的に思えるかもしれません。でも、２００５年の創業時からずっと私たちはこのやり方を貫き、クライアント企業から高く評価されています。

設計プロセス改革で成果を上げている事例も多く生まれており、真に必要とされているサービスはこれだと、私たちは確信しています。

この章の最後に、プログレス・テクノロジーズの強みを簡潔にまとめておきます。

・ワンストップソリューション

創業以来、大手メーカーの設計開発とプロセス改革を支援してきた実績を背景に、コンサルティングから設計実務までのソリューションを、ワンストップで提供できる体制を整えています。クライアントの設計現場に寄り添い、一緒に「設計のやり方」を設計し、システムやツールを使って具現化し、さらに設計開発そのものまで行うことのできる数少ない企業です。

・技術力と人間性を兼ね備えた技術者集団

さまざまな業界での設計経験、専門領域、スキルセットを持つ技術者集団が私たちの貴重な経営資源です。製品設計力とツール活用力に加え、自ら考えて課題にチャレンジし、チームのパフォーマンスを最大化できる人間力を兼ね備えています。ものづくり現場の「実現したい」に向き合い、お客様と一緒になってワクワクしながら業務に取り組みます。

・最先端技術への柔軟性

次世代モノづくり、最先端デジタル技術の研究開発にも積極的に取り組んでいます。自社内にドライビングシミュレーターや３Ｄプリンターなどの設備を持ち、デジタルツイン、ＭＢＳＥ（Model Based Systems Engineering）、ＭＢＤ（Model Based Development）、ＤｆＡＭ（Design for Additive Manufacturing）といった最新技術の実運用を検証し、トータルソリューションでサービスを提供しています。新規性の高い受託開発も行っており、新しいテクノロジーへの挑戦も進めています。

こうした強みを最大限に生かしながら、暗黙知化し、現場に埋もれがちな日本の製造業の強みを掘り起こし、データとともに活用することで設計プロセス改革を進め、モノづくり現場を変えていきたいと思っています。日本の製造業の現場には素晴らしい技術、ノウハウ、人材が揃っています。マインドチェンジのきっかけさえあれば、ワクワク感を覚えながらモノづくり本来の楽しさを感じることができるはず。

その原点に立ちたいと、私たちは考えています。

第三章　プログレス・テクノロジーズとは何者か？

エンジニアリング事業×ソリューション事業の独自性

２００５年に創業した頃、プログレス・テクノロジーズはエンジニアリングサービスを行う会社でした。クライアント企業からの発注に応じて、先方が進めているプロジェクト現場へ技術提供するのがコア事業です。このビジネスモデルで事業を展開する企業は日本に多く存在します。

創業当初の私たちもその中の1社でしたが、違ったのは「志」です。前章でふれたように、技術やツールの提供で終わりではなく、それが「本当に現場のエンジニアの役に立っているのか」「ワクワクして働いているのか」など、現場に寄り添って支援することで、価値提供できる存在になりたい、という強い思いがありました。

ただ、思いや情熱だけでは食べていけません。実現するには、磨き上げた技術と積み重ねた経験が必要であり、創業してしばらくは、目の前の案件に集中して向き合っていました。

開発の上流工程である設計開発に特化したのは、最初からの戦略です。製造業全体の底上げには、モノづくりの頭脳に相当する設計開発の変革が必要だ。そう考え、世界でもトップの技術を持つ大手メーカーにサービスを提供してきたのです。

創業からここまで、持続的に成長してこられた背景には、技術レベルの高さ、ワクワクする現場かどうかを優先して、特定の業界には絞らなかった戦略もあります。エンジニアリングの企業には、ある業界での実績を強みとして打ち出すケースが多く、確かに業界を絞れば、効率的に経験値を高められるでしょうし、マネタイズもスムーズかもしれません。

しかし、私たちは業界ではなく、開発の上流工程に特化する道を選びました。実は開発の下流工程に行くほど、業界や製品独特の知識、ノウハウが必要になり、細かな対応が求められるようになります。上流工程、特に設計は、業界が違ってもロジック、設計言語に共通する部分が多くあります。ある業界の設計プロセスで培った経験は、もちろんそのままというわけにはいかなくても、他の業界の設計プロセスに反映させることも可能なのです。

現在のプログレス・テクノロジーズは、エンジニアリング事業を1つの柱として、メーカーの設計工程への技術提供を行いながら、現場で培った経験をもとに展開するソリューション事業を、2つ目の柱としてサービス展開しています。前述したように、これは価値提供を目指すもの。技術提供と価値提供によって、モノづくりの現場を面で支える体制となっています。

在籍している設計開発エンジニアは約500名。エンジニアリング事業では、機械・電気電子・情報系のエンジニアが、日本のトップメーカーで設計開発の実務サポートを行っており、特に次の6領域に多く従事しています。

・自動車／商用車関連
・半導体関連
・精密機械関連
・医療機器関連
・重工／建機関連
・ＩＴ関連

技術と経験、ワクワク感で日本の製造業の未来をつくる

もう一つのソリューション事業は、エンジニアリング事業で培った技術、経験をもとに、設計開発現場の課題に、多面的なサービス提供、支援を行っています。具体的なサービスとしては次の４つがあります。

▽コンサルティングサービス

お客様の「設計のやり方を設計」します。ＰＴ ＤＢＳという独自の方法論を使い、熟練エンジニアの頭の中にある設計手順や知見をデータ化・システム化し、設計力を強化します。

▽ソリューションサービス

最先端のツール導入から定着支援まで行います。最先端の設計ツールを熟知したエンジニアが、お客様の課題に合わせて適切なツールを導入。設計開発のデジタル化を推進します。

▽プロジェクトサービス

製品開発をプロジェクトチームで引き受けます。豊富な業務経験・キャリアを持つ1つのチームとして、お客様の求める成果物を提供します。

▽R＆Dサービス

お客様との共同研究・開発。他に、最先端の技術を活用した受託開発・設計を担います。私たちの独自サービスに必要になるツール開発も行っています。

エンジニアリングだけ、コンサルティングだけを行う企業は、プログレス・テクノロジーズ以外にもたくさんあります。しかし、設計開発領域をトータルに支援できる企業は、私たちの他にはないと自負しています。私たちの独自性は、次の3点に集約できるでしょう。

・コンサルティング〜デジタルソリューション〜製品開発支援までをワンストップで提供
・全てのサービスを設計開発経験者が提供
・日本にはない独自のサービス

前章までにふれたように、日本の製造業は、少子高齢化による人材不足、ＩＴ活用の遅れ、モノからコトへというビジネスモデル転換への対応不足、熟練技術者からの技術伝承の不備など、さまざまな課題に直面しています。そうした課題を解決し、モノづくり大国としてのプレゼンス、高い競争力を取り戻すには、デジタル技術の活用が欠かせません。

熟練技術で実現してきた設計を、総合的にデジタル化し、開発期間の短縮やコスト削減を実現することが急務です。同時に、デジタル活用により、今までなかった付加価値を生み出せるような、設計プロセス改革も必要になります。モノづくりの上流工程のプロフェッショナルとして、高い市場価値を持つエンジニアが、日本の製造業の未来をつくるためにお手伝いする——一緒に考え、悩み、ワクワク感を共有しながら、設計現場での支援を行っています。

現在のプログレス・テクノロジーズが提供しているサービスについて、それぞれ具体例をあげながら紹介していこうと思います。

▽コンサルティングサービス

現場の暗黙知を集約、データ化し「設計のやり方を設計」する

前述したように、創業当初のプログレス・テクノロジーズは、メーカーの設計開発現場への技術提

ものづくりの「実現したい」を叶える5つのサービス

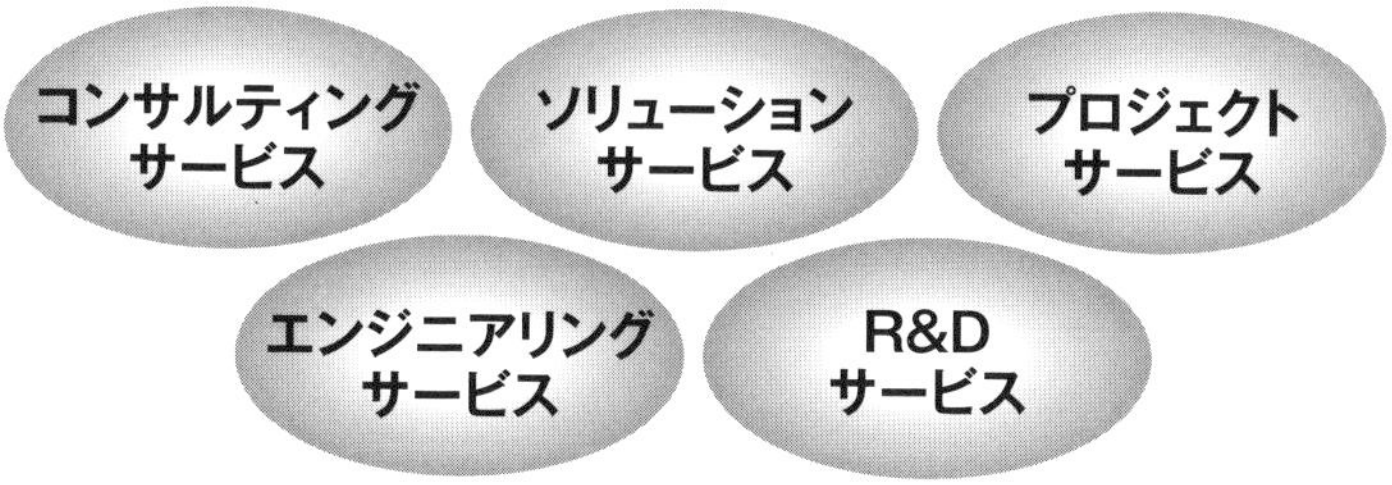

社員数	プログレス·テクノロジーズ株式会社
設　立	2005年6月
資本金	2億6千万円（資本剰余金含む）
社員数	522名（2023年1月現在）
所在地	[本　社] 東京都江東区青海1-1-20 ダイバーシティ東京オフィスタワー15F [名古屋事業所] 愛知県名古屋市中区栄3-14-15 スギビル4F [宇都宮プロジェクトオフィス] 栃木県宇都宮市ゆいの杜1-5-40 栃木県産業振興センター内
事業内容	コンサルティングサービス システム開発 ソフトウェアの販売およびサポート アウトソーシング·運用サポート 新技術調査·研究開発·共同研究

コンサルティング・ソリューション・プロジェクト・エンジニアリング・R&Dで、プログレス・テクノロジーズの事業ポートフォリオは構成されている。単なる技術提供だけでなく、モノづくりの上流工程を面で支援することで、日本の製造業が高い国際競争力を手にすることを目指している。

供というビジネスモデルで事業を展開していましたが、技術だけでなく価値を提供することで、設計開発の現場を変えたい、という思いがありました。技術提供を行い、さまざまなメーカーの設計開発の現場で経験を蓄積しながら、創業当時の課題感が具体化していきます。

例えば機械設計の場合でいうと、設計開発の知識、ノウハウの一部は図面に集約されています。どんな材料を使い、どう加工すれば、どんな効果が得られるか。しかしながら、図面には集約されないノウハウ、もしくは集約することが困難なノウハウが、ベテラン設計者の頭の中にあったり、パソコンのハードディスク、または紙の帳票として散在したりしています。それが統合されず、点として存在しているため、利用できるのは限られた人です。

つまり、組織の共有知として伝承されていないため、設計の品質、検討の時間にばらつきが出てしまう。これを変えなければいけない。「設計のやり方を設計する」ように、設計プロセスを変革する。これが私たちの目指すところです。

市場ニーズの多様化、複雑化、技術の高度化。また、グローバル競争の激化が進む中で、製造業には高品質・高付加価値の製品を、可能な限り早いサイクルで開発することが求められています。それに対応するために、3D CAD、CAE、データ管理システムなどのツール導入は、それぞれの現場で進んでいるでしょう。

でも、思うような成果に結びつけられない企業が多いのも事実です。

ツールだけの対応ではなく、モノづくりの本質的な部分での取り組みも必要です。あるべき姿のグランドデザインを描き、優先順位をつけ、仕組み化・システム化しなくてはいけません。

エンジニア経験を通して、現場課題を把握し、設計力を身につけ、プロセス改革の経験も積みながら、ツール、システム活用の要点も押さえたコンサルタントが、独自の方法論を使って行うのが、私たちが提供するコンサルティングサービスです。

このサービスの特徴は、多くの設計開発プロジェクトの実績にもとづく、独自の方法論による「設計プロセスコンサルティング」。デジタル技術を駆使したプロセスに変革するには、多くの企業で属人的になっている設計ノウハウ、ナレッジ、ロジックといった設計根拠を、システムで使えるデータとして整理する必要があります。

それを可能にしているのが、独自の方法論「ＰＴＤＢＳ」です。

すべての始まりは「設計根拠」の明確化にある

これは「Progress Technologies Design Basis Solution」の頭文字を並べたものですが、特定のツールではなく、設計根拠にポイントを置いたソリューションのパッケージになります。

さまざまな企業での設計改革、設計効率化、設計品質向上のコンサルティング経験から生まれた方法論で、設計データへの根拠の明示を徹底することで、設計プロセスのデジタル化を実現し、設計力強化、プロセス全体の最適化につなげていきます。以下、ＰＴＤＢＳについて補足していきます。

キーワードは、ここまで何度か登場した「設計根拠」です。

モノやコトをつくり出すための設計ストーリーのことで、「なぜこの形にしたのか？」が明確にならなければ、ちゃんと設計したことにはなりません。ボイスレコーダーを例にあげると、全体の形にも、ボタンの形や配置にも、それぞれ設計根拠があるはずです。

ですが、設計者に「どうしてこの形、配置なのですか？」と質問しても、「よくわからない」「前からそうなっていたので」など、曖昧な返事しか返ってこないケースもあります。設計根拠が欠けているのです。


設計根拠の要点は「要求・要件（Ｒｅｑｕｉｒｅｍｅｎｔ）」、「機能（Ｆｕｎｃｔｉｏｎ）」「ロジック（Ｌｏｇｉｃ）」、「設計パラメータ（Ｐｈｙｓｉｃａｌ）」で、それぞれの頭文字を取って「ＲＦＬＰ」と呼ばれます。モノ（ハード）でいうと、企画から仕様決定、構想設計、基本設計、詳細設計、評価点検、図面のプロセスの中で、要求～機構～パラメータというつながりの上に、具体的な形状がなければいけません。

しかしながら、設計根拠が曖昧でも、３Ｄ ＣＡＤや図面などの過去データをコピーし、部分的に少し変更すれば、それらしい設計図を描いているように見えてしまいます。

本当はもっといろいろ検証したいけれど、時間の制約があり、せいぜい数パターンしか試せない。ユーザーエクスペリエンスに配慮した設計をしたくても、どこから考えればいいのかわからない、というケースもあるでしょう。ノウハウやナレッジが属人化していたり、設計根拠の繋がりが切れていたりするからです。

ユーザーエクスペリエンスを変えるには、どのパラメータをどう変えればいいのか。

そもそも、この場合はユーザーエクスペリエンスとは何か、という定義から始めなくてはいけないので、ベテランならまだしも、経験の浅い設計者にはハードルが高い。結果、過去データをコピーし、部分的に少し変更するような設計が増えてしまうのです。

そのまま問題なく進めばいいのですが、検証の段階で不具合が見つかったりすると、その都度、手戻りが発生します。また、販売されてから、お客様のもとで初期不良などのトラブルがあれば、クレーム対応が必要になるでしょう。情報がＳＮＳなどで拡散されると、ブランドの毀損にもなりかねません。

なぜそうなるのか。大きな理由の１つが、設計根拠はブラックボックス化しやすく、ノウハウやナレッジとして伝承されていないからです。

そうした問題が起こらないようにするために、設計根拠を突き詰めなければいけないのですが、前述したように「よくわからない」「前からそうなっていたから」など、曖昧なまま設計作業を進めてしまうケースが多々あります。「過去にこういうことがあった」「こんな失敗をした」など、知識や経験、ノウハウやナレッジは残そうと努めてはいるものの、点在していて関係性を辿りにくかったり、属人化していたりするなどして、伝承が十分にできていません。伝承されていれば、同じ失敗を繰り返さないようにするはずです。

それが十分にできていないため、設計根拠が曖昧なまま進み、手戻りを繰り返して、開発に無駄なコストがかかってしまうのです。

ベテラン設計者の経験、ノウハウを「共有知」に

ボイスレコーダーを例にあげましたが、ボタンの設計に関して、企画要件によっては物理ボタンではなく、液晶のタッチスクリーンでもいいのではないか、という選択肢も出てくるはずです。毎回、企画要件から設定し直すような設計が行われているわけではありませんが、こういう設計根拠のつながりや問いがないまま、ボタンの形状を少し変更するだけで「設計したつもり」になってしまう。設計根拠が曖昧なまま形にすると、お客様にとって違和感、使いにくさを感じさせる原因にもなりかね

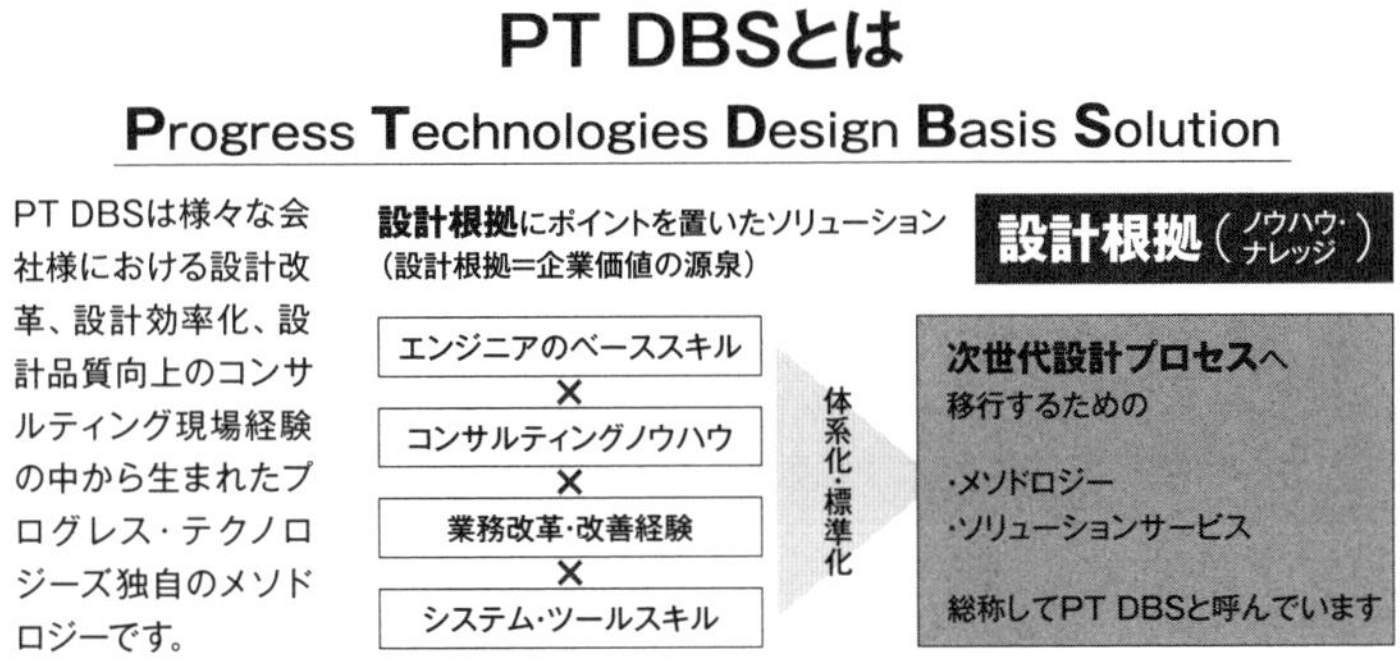

PT DBSとは
Progress Technologies Design Basis Solution
PT DBSは様々な会社様における設計改革、設計効率化、設計品質向上のコンサルティング現場経験の中から生まれたプログレス・テクノロジーズ独自のメソドロジーです。

PT DBSメソドロジー

設計とは、**「設計根拠をもって設計パラメータを決める」**ことがタスク。

（まさに要求・機能・ロジック・物理（RFLP）の設計根拠情報）

しかし、これらの情報は**熟練者の頭の中にしかない**といった状況が多い。

熟練者から**情報を引き出すためにプロセス・タスク**に着目。

PT DBSでは設計プロセス・タスクをベースに**ノウハウ・ナレッジ**を可視化します。

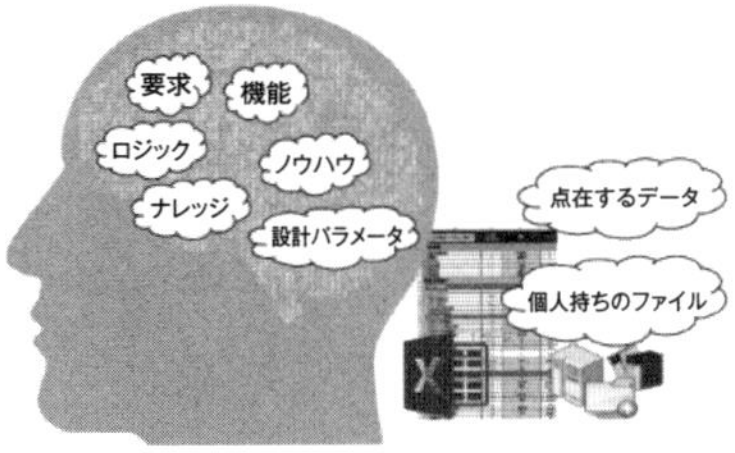

設計根拠にフォーカスし、「なぜそう設計したのか」を突き詰めることで、設計プロセスの精度を高めることができる。その源泉となる情報は、多くの場合、ベテラン設計者の頭の中に暗黙知として存在している。それを集約、データ化し「設計のやり方を設計する」ことを可能にしたのがPT DBSという方法論。

ません。

ボタン1つとっても、素材や形状を含めて選択肢は膨大にあります。それらをすべて検討していると、いくら時間があっても足りませんが、ベテランの設計者は、過去の業務で培った経験やノウハウをもとに見当をつけられます。一方、経験が少ない設計者はそれができないため、曖昧なまま進んでしまうのです。

しかし、ベテラン設計者がいつまでも現役でいられるわけではありません。定年退職で職場を離れると、属人化していた知識、ノウハウを伝承する機会は永遠に失われ、若い設計者は前例踏襲で、過去の設計を少し変更するくらいしかできなくなってしまう。それなら、ベテランの頭の中にあるノウハウやナレッジ、設計のプロセスをデータ化し、みんなで活用できる共有知にできないか。そうした考えがＰＴ ＤＢＳの根底にあります。

製品設計・開発のリードタイムを短縮し、品質を向上させるには、開発サイクルを抜け漏れなく、かつ高速でまわさなければいけません。設計根拠がわからなければ、サイクルをまわしようもなく、高価なツールを導入しても望むような効果は得られないでしょう。

「お客様は何を求めているのか」「求められていることを、どんな根拠をもとに具現化するのか」「誰が・いつ・どんな方法で担保しているのか」。こうした情報が設計開発の現場で明確にされ、管理・運用・定着されることで、設計プロセス改革が進んでいきます。

ベテラン設計者の頭の中だけでなく、設計根拠に関する情報は、さまざまなシステム、ツール、技術文書、マニュアル、帳票などに散逸し、かつ複雑化・肥大化しているため、なかなか整理できない状態が多いのではないでしょうか。

ＰＴ ＤＢＳでは、ベテラン設計者が暗黙知として持つノウハウやナレッジを含め、データの形に統合、整理して、誰でも活用できる共有知として仕組み化することで、設計の品質向上と効率化を目指します。どんなプロセスでコンサルティングサービスが提供されるのか、流れを説明しておきましょう。

最初のステップは「設計プロセス・ノウハウ・ナレッジの可視化」、つまり設計根拠の明確化です。ベテラン設計者の頭の中にあった設計の手順、検討順序、ノウハウやナレッジ、ロジックを可視化し、図面に対応させます。経験豊富なベテラン設計者へのヒアリングは簡単なことではありません。プライドが高く、職人気質で、言葉で説明するよりも「背中を見て学べ」というタイプも多いからです。

ここでの私たちの強みは、設計開発の領域に特化してサービスを提供してきたので、幅広い設計の実務経験をもとに、共通の言語、課題感を持ってコミュニケーションできるところ。少しずつ関係を深めながら、属人化している情報を引き出していきます。

次のステップは「要求から設計パラメータ（部品）までの相関を明確にすること」。前述したＲＦＬＰ（要求、機能、設計ロジック、設計パラメータ）を明確にし、関係性を整理していきます。情報をどこから集めるのか。どのツールを使うのか。どの設計パラメータを使い、調整するのか。結果をどう判断するのか、というノウハウやナレッジまで踏み込んでいきます。

これにより、要求変更による部品への影響を見える化し、タイムリーかつ高品質な設計開発を可能にします。

歯車を設計する流れを例にすると、歯車の諸元をどのような順序で、どのような手段で、どのようなノウハウやナレッジを使って担保、判断しているのかを明確にしていきます。

ここで、要求を満たせるのか、満たすための手段が何で、パラメータがどういうデータになるのかが見えてきます。こうした結果を、設計根拠と結びつけて出力するのが設計部門の仕事です。

ＰＴ ＤＢＳでグランドデザインを描き、変革を進める

続いて「設計手法・検証手法の明確化」へ。このステップでは、検証手法の内容（計算・解析・試作、どの方法で検証すべきか）も明確に規定し、必要に応じてマニュアルやテンプレートも用意します。

そして「ノウハウやナレッジを組み込んだ仕組み化・システム化」のステップへ。要求から設計パラメータまでつないで、機能をつくり込む仕組みやシステムを整備します。

こうしたステップを踏み、設計情報、属人的になりがちなノウハウのデータ化・システム化を進めることで、設計品質のバラつきがなくなり、経験の浅い設計者でも、無駄な時間をかけずに高品質の設計ができるようになります。単なるツール導入では根本解決には至りません。重要なのは、あるべき姿のグランドデザインを描き、優先順位をつけ、仕組み化・システム化を進めること。

設計根拠を軸に、一連のフローを最適化し、設計プロセス改革を実現するソリューションが、私たちが提案するＰＴ　ＤＢＳです。製造業の設計現場の経験や、プロセス改革経験を積んだコンサルタントが、本来あるべきプロセスの実現を支援します。

どれだけテクノロジーが進化しても、主役は人、設計者

モノづくりの面白さは「答えが一つではないところ」ではないでしょうか。

市場ニーズ、機能、価格などのバランスの中に、いろんな最適解があります。設計根拠にもとづき、絞り込んでいく過程が苦労する場面であり、最もワクワクする場面でもあるはずです。以前は10の可能性しか検討できなかったところでも、デジタルの力を使えば、１００倍、１０００倍、１万倍の検

討が短時間のうちに可能になります。

でも、すべてをデジタルに委ねればいいわけではありません。どれだけテクノロジーが進化しても、主役は人、設計者です。デジタル・テクノロジーと、設計者の経験、知識、ノウハウやナレッジが結びついて初めて、設計プロセスの改革が動き出します。

暗黙知化し、散在している情報を集約・統合して設計者が本当に力を発揮できる、もしくは一段上の設計ができる「設計のやり方を設計」して実務適用・定着させることで、質の高いアウトプットが可能になる。そのために利用するのが、PT DBSというコンサルティングの方法論です。

PT DBSを使って現状把握を行い、目指すべき姿を提示し、クライアント企業と二人三脚で変革に取り組むのが、コンサルティングサービスの基本的スタイルになります。また、コンサルタントがビッグピクチャーを描き、実現に向けて、私たちの他のサービスと連携しながらサポートする形もあります。

トータルソリューション、ワンストップ。プログレス・テクノロジーズの特徴であり、大きな強みの1つとなっています。

PT DBSメソドロジー

PT DBSでは設計プロセスをひも解いて設計根拠を整理することで、要求から設計パラメータまでの相関を可視化し、パラメータスタディ・最適化できる状況を整える。また、次世代設計プロセスへ移行するうえで障壁となる課題もあぶりだしていく。

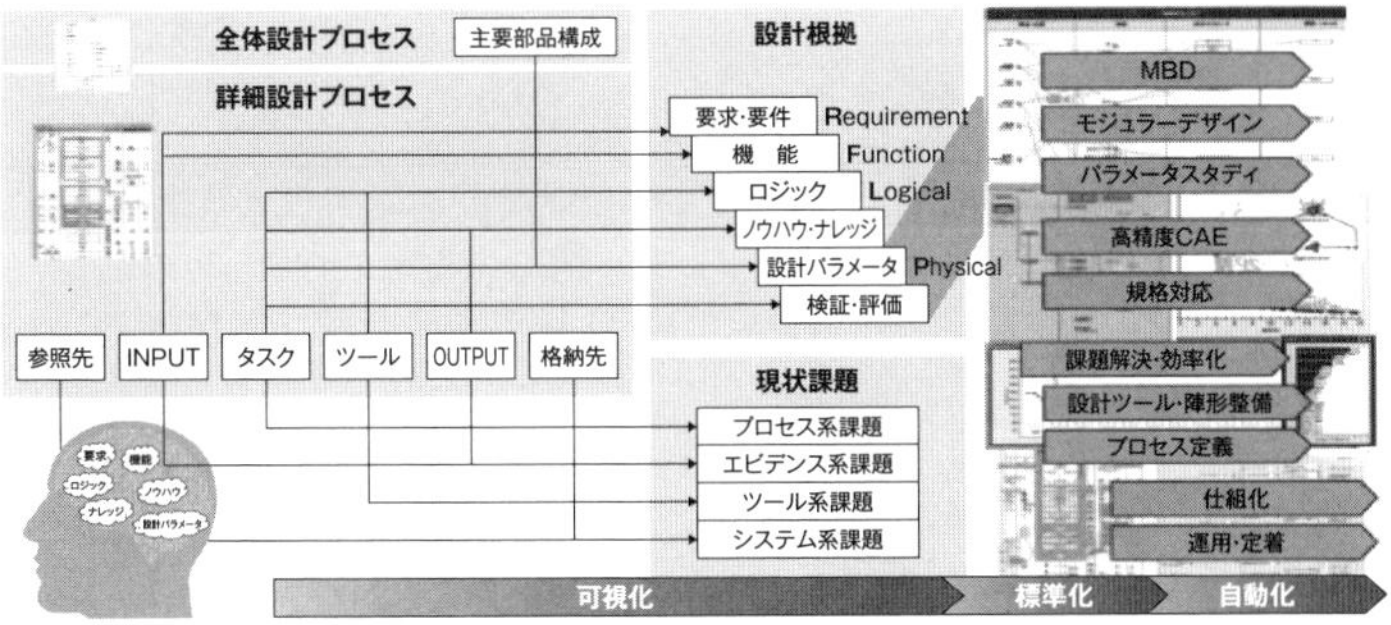

次世代設計プロセス

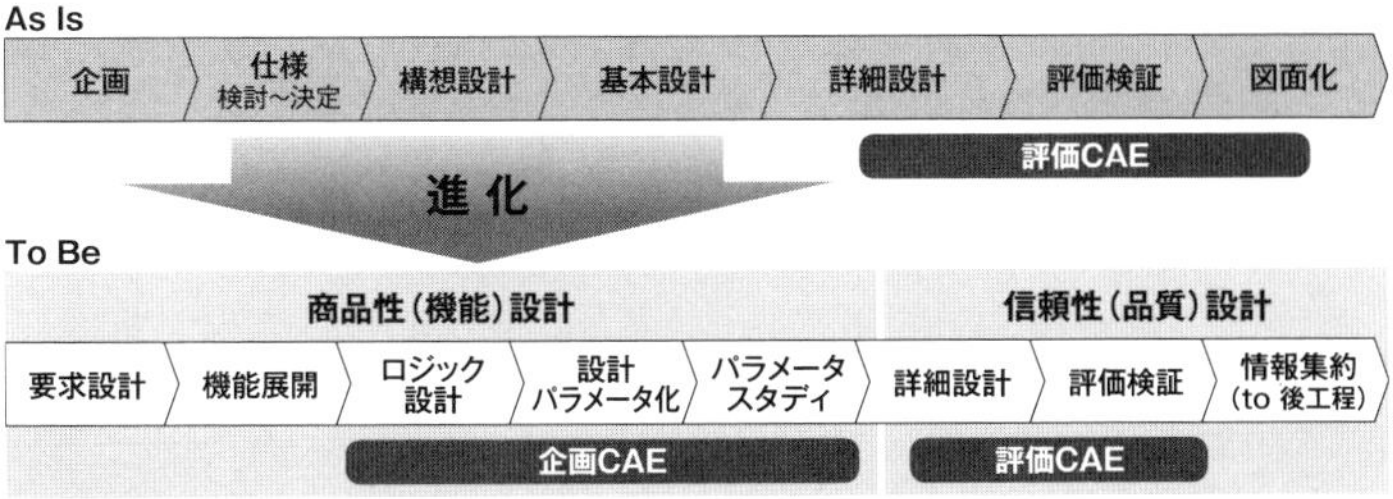

要求から設計パラメータまでをつなぎ、設計パラメータのパラメータスタディ（広範囲探索）・最適化ができる企画CAE環境を整備することで機能の作り込みを設計上流にて実現する。

PT DBSでは、設計プロセスをひも解き、設計根拠を整理することで、要求から設計パラメータまでの相関を可視化。パラメータスタディを最適化する状況を整える。そうすることで、機能のつくり込みを設計上流で実現できるようになる。

▽ソリューションサービス

設計開発現場が抱える課題を最先端のソリューションで解決

市場の多様化、複雑化が進む現在、新しい体験を提案できる製品の開発が、製造業には求められています。一方、モノづくりの現場では、慢性的な開発リソースの不足という課題も抱えています。

ここにはいくつかの側面があり、一つは純粋に人手が足りないこと。他に、従来のプロセスを変革するためのテクノロジーの不足もあります。ツールはたくさんあるものの、どれが自社に最適なのか、どう選べばいいのかわからない、というケースもあるでしょう。

プログレス・テクノロジーズの場合、はじめにツールありきではなく、設計ノウハウの可視化・標準化によって、徹底した現状把握を行います。そのために利用されるのが、前述した独自の方法論「PTDBS」。現状を把握し、目指すべき方向を明確にした上で、最適なソリューションを組み合わせていきます。

では、具体的にどんなソリューションを提供しているのでしょうか。

現在プログレス・テクノロジーズは、ダッソー・システムズとパートナー契約を結んでいます。ダッソー・システムズは、自動車・モビリティをはじめ、航空宇宙、造船、産業機械、ハイテク、消費財、建設、都市計画、エネルギー、ライフサイエンスなど、幅広い業界にソリューションを提供しており、世界中で知られた存在です。

このダッソー・システムズの製品を組み合わせて、私たちはソリューションサービスを提供しています。

製造業の現場の課題を解決する6つのソリューション

ＰＴ ＤＢＳで課題を抽出し、暗黙知となっている経験、ノウハウやナレッジ、散在している情報や履歴をデータ化ながら、どんなソリューションが最適かを提案するのが、ソリューションサービスの役割です。コンセプト検討から評価領域までを含む６つのソリューションが、設計プロセス改革の重要なカギになります。

【BPR：Business Process Re-Engineering】

業務本来の目的に向かい、既存の組織や制度などビジネスプロセスを見直し、プロセスの視点で職務、業務フロー、管理機構、情報システムをデザインし直すのが「ＢＰＲ」。３Ｄ ＥＸＰＥＲＩＥＮ

ＣＥプラットフォームを活用して、ＰＬＭ／ＰＤＭ適用を支援していきます。

【ＭＢＳＥ：Model-Based Systems Engineering】

システムを構築するため、複数の専門分野にまたがるアプローチと手段が「システムズエンジニアリング」。例えば自動車を設計する場合、以前は企画、要求をふまえ、すぐ形状設計に入っていましたが、今はその前に検討すべき項目が増えています。

電動化の要となるモーターと減速機、通信モジュール、将来の自動運転を見据えて搭載するセンサー類、分析に使うコンピューター。インフラを含めて、自動車そのものではなく、社会システムの１つとして検討しなければいけません。ＭＢＳＥは、製品開発をシステムとしてとらえ、ＲＦＬＰ（要件・機能・論理・物理）の枠組みで整理し、性能設計プロセスを実現するソリューションです。

私たちのサービスでは、既存製品をベースに、ＰＴ　ＤＢＳを用いたＲＦＬＰ整理を実施した上で抽象化。周辺環境も含めた要求を機能、論理へとブレインダウンしながら、トレーサビリティを確保した製品設計を支援していきます。

【ＭＢＤ：Model-Based Development】

市場ニーズが多様化、複雑化、高度化することで、「開発スピード向上」が企業の競争力の基盤となっています。以前は実機、試作ありきだった開発プロセスを変革し、設計から試験、製造までをデジタルデータで行い、開発期間を大幅に短縮するため、導入が進んでいるのがモデルベース開発（ＭＢＤ）です。

３Ｄ設計前の段階で、粒度の粗い解析による性能割付け・当たり付けを実施することで、性能未達による手戻りを防止するソリューションを提供します。計算精度としては粗い反面、計算速度に優れ、繰り返し計算との親和性も高いため、設計初期の段階で、広範囲の設計空間の探索が可能になります。

【DfAM：Design for Additive Manufacturing】

軽量化は、多くの企業が長年にわたって取り組みを続けている課題であり、「これ以上の実現は困難」という声も現場ではよく聞かれます。形状最適化技術により、設計要件に合った形状を自動生成する「ＤｆＡＭ」は、その常識を覆す設計手法です。

これを利用することで、人の手による形状モデリングでは得られなかった、劇的な軽量化が実現します。積層造形をバーチャルにシミュレーションし、手戻りのない、新たな製造手段として注目されています。

例えば、エンジンの部品を設計する場合。設計者が考えたデータをもとに、荷重などの制約条件を細かく変更しながら、いろんなパターンをシミュレーションできます。切削で製造する場合、鋳造でやる場合の最適な形状も自動生成が可能です。

軽量化が可能になるのは、３Ｄプリンターなどを活用した新たな製造技術「ＡＭ（積層造形＝Additive Manufacturing）」を前提として、その効果を最大限に引き出せるよう考えられているため。軽量化だけでなく、３Ｄプリンターによる試作段階での細かい形状、動きの確認、量産前の事前検証により、パーツ性能を高めることも可能になります。

また、最適化技術が生成する形状は有機的で、機能性とデザイン性を両立する、新たなパーツ形状をつくり出すことも可能です。

【ＣＡＥ：Computer-Aided Engineering】

実際に試作や実験をしなくても、コンピューター上でのさまざまなシミュレーションによって、工学的問題を解析できるシステムが「ＣＡＥ」です。私たちは、ダッソー・システムズ製の「Ａｂａｑｕｓ」製品群をメインツールとして、高度な解析処理の実現方法、その支援と製品不具合への対応を行う技術サポートを提供しています。

汎用有限要素法（ＦＥＭ）解析ソフトウエアのＡｂａｑｕｓは、自動車、航空、防衛、化学、家電などをはじめ、幅広い産業分野で利用されています。日常的な現象の解析から、高度なエンジニアリングの課題まで、多種多様な産業アプリケーションをカバーし、高精度かつ安定したソリューション

MBD：Model-Based Development

3D設計に入る前の段階で粒度の粗い解析による性能割付け・当たりつけを実施することで**性能未達による大幅な手戻り防止を実現する**ソリューション。計算精度は粗い代わりに高速計算に優れ、繰り返し計算（DOE、最適化）との親和性も高いため、**設計初期段階での広範囲な設計空間の探索が可能**となる。

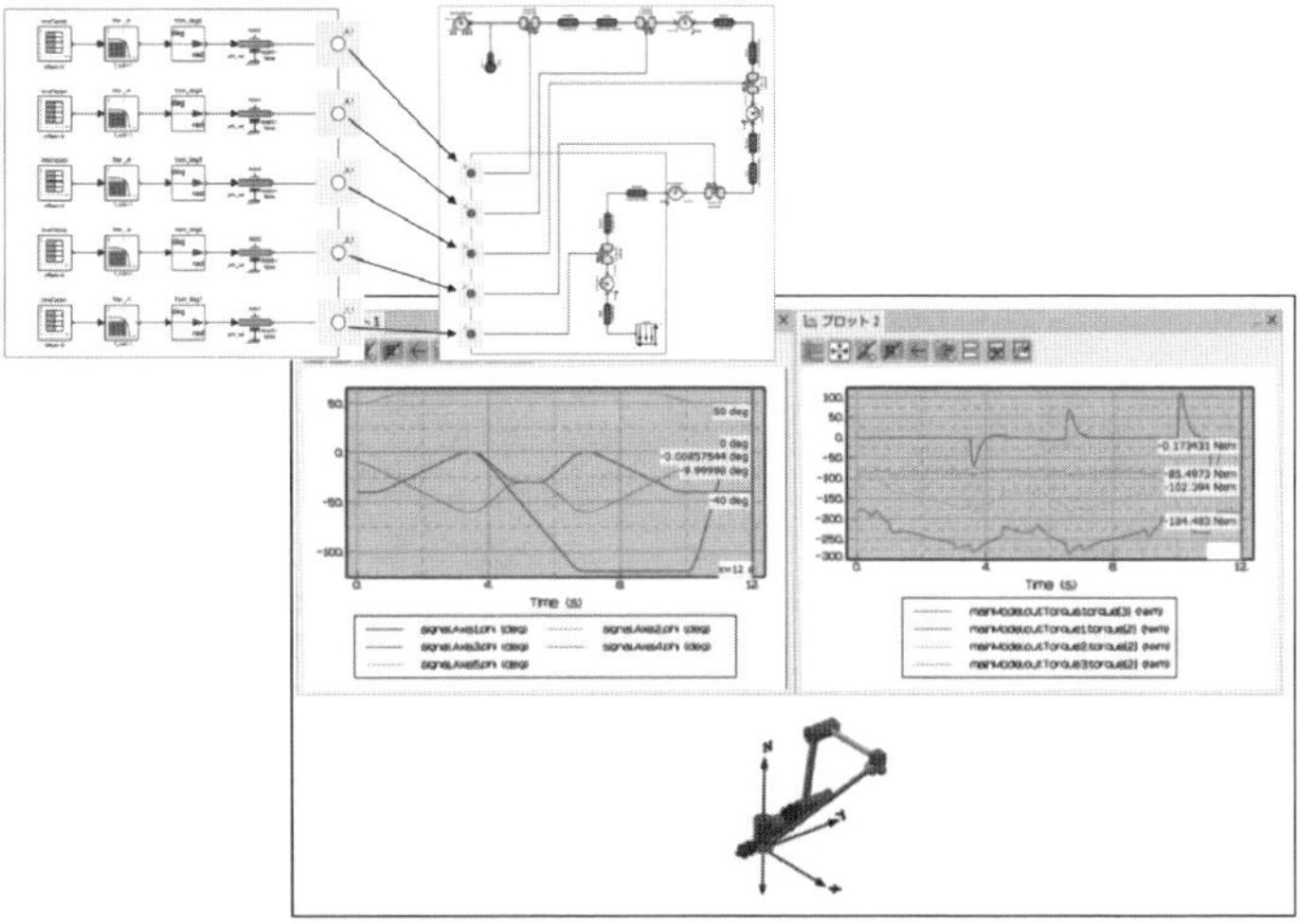

MBDは、3D設計前に粒度の粗い解析で性能割り付けを行い、性能未達による手戻りを防止につながるソリューション。モデルが「動く仕様書」となり、処理はコンピューター上で行われる。可視化した動きを実際に見て検証できるところが特徴。

を提供できます。高度な非線形解析、大規模な線形動的解析、マルチフィジックス解析など、さまざまな現象の解析も含みます。

【ＳＰＤＭ：Simulation Process and Data Management】

設計やシミュレーションを繰り返す設計者、エンジニアは、多くのソフトウエアやツールを利用しています。例えば、解析アプリケーションから得られるパラメータや結果を、他のアプリケーションで利用するとしましょう。手作業によるデータの受け渡しが必要になり、ここから生産性の低下、人的なミスが生まれてしまうこともあります。

こうした事態を防ぐため、複数領域にわたるモデル、アプリケーションをシミュレーションのプロセスに取り込み、分散環境での自動実行、設計空間の探索、制約条件を満たす最適解の探索を支援するのが「ＳＰＤＭ」です。

設計者によって品質、時間、内容にばらつきがある場合、原因は、同じ目的のアウトプットを出すまでのプロセス、ノウハウが、設計者ごとに異なるところにあります。「ＳＰＤＭ」活用により、設計プロセスの標準化、自動化を進めることで、担当者の違いによるばらつきをなくし、品質を保つ仕組みが実現します。

DfAM：Design for Additive Manufacturing

形状最適化技術による、設計要件に合った形状の自動生成により、これまでの人手による形状モデリングでは得られなかった素性の良い**劇的な軽量化を実現**する手法として知られているDFAMを提供するソリューション。3Dプリンタによる積層造形をバーチャルにシミュレーションし、手戻りのない**新たな製造手段を導入**する。

製造・機能要件、境界条件の違いに合わせて最適な形状が導出される

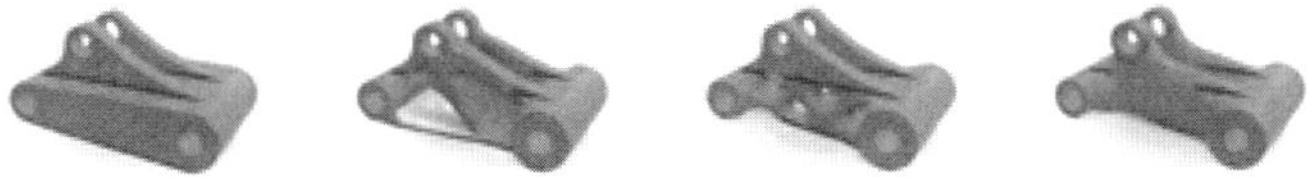

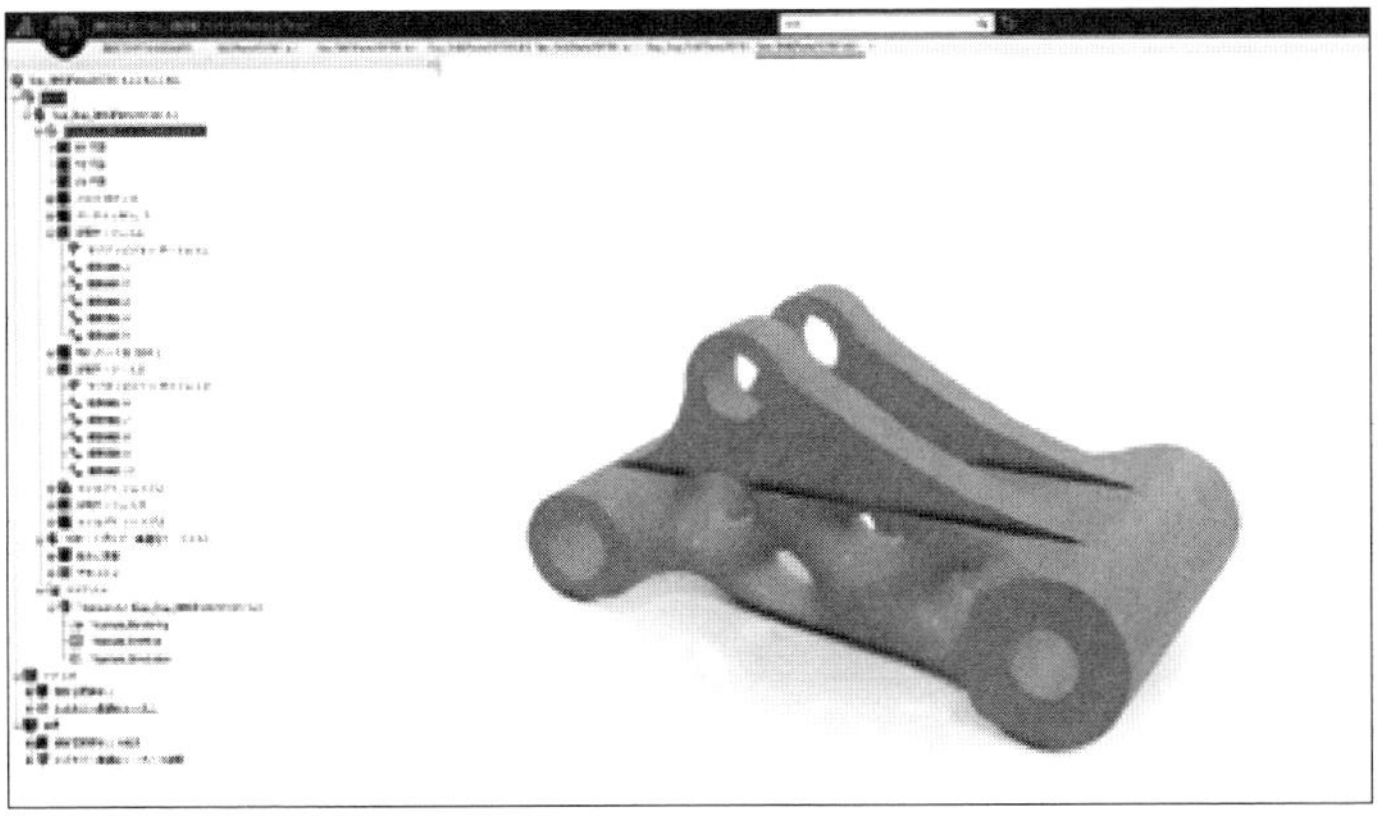

DfAMは、３Dプリンターを活用した製造(3Dプリンティング、積層造形、付加造形)のメリットを最大限に活かすためのソリューション。複数の素材、形状のリアルなモデリングを行わなくても、バーチャルにシミュレーションすることで、手戻りのないプロセスを実現できる。

▽プロジェクトサービス

技術、経験豊富なチームで開発現場の「デキナイ」を「デキル」に

プログレス・テクノロジーズの事業の中でも、プロジェクトサービスは、私たちの思いを端的に表すサービスと言えます。

クライアントからの要望に合わせ、主に設計現場の実務支援という形で技術を提供するのがエンジニアリング。エンジニアリングを提供している企業は他にもたくさんありますが、プロジェクトサービスにおける業務は「委託」という形で行われます。

製造業の現場が抱えている課題を切り出し、その設計、開発を委託として請け負い、社内でモノ、あるいはソフトウエアとして完成させ、納入します。いわば、メーカーの開発部門に似たような役割を担っていると考えてください。

開発現場では、技術の高度化、ニーズの多様化、複雑化、さらにリソース不足など、さまざまな要因が複雑に絡み合い、目の前の課題に対して、どこから対応すべきか、優先順位をつけられずに困っている。こんな声をよく耳にします。課題を洗い出し、社内で解決しようとしても、エンジニアたちは日々の業務に追われ、根本的な解決につながる活動にまで至らない。そんなケースもあります。

開発現場で直面している課題、または、顕在化していない課題を洗い出し、切り出し、私たちのプロジェクトチームが解決策を提示する――そうありたいと思っています。そういう立ち位置を目指すと必然的に、やるべきことや向かうべき方向が明確な通常のエンジニアリングサービスより、扱う案件は複雑で難解なものが多くなります。プロジェクトに携わるエンジニアも、少数精鋭。設計開発の現場を知り、設計の知見があり、コンサルティングのノウハウを持つ私たちだからこそ、実現できるサービスと言えるでしょう。

プロジェクトサービスが成り立つ背景には、製造業の現場が置かれている環境があります。大手メーカーには、長い年月をかけて培ってきた技術、経験を持っています。以前は、その延長線上で新たな開発を行なえば、一定数の売上は見込めました。今は違います。求められているのはモノではなくコト。利用することで、新たな体験が可能になる〝コトづくり〟が重視され、それには、未知の領域の考え方や技術、知見が必要です。

必要なのは、従来の枠組みを超えた新たな製品開発プロセス。1社で、こうした環境変化に対応するモノづくりを行うのは、現実的には難しいため、開発の一部を切り出して請け負う、プロジェクトサービスが大きな意味を持つのです。

開発現場の従来の開発体制では「やりたくてもできない範囲」を、豊富な経験と高いスキルを持つエンジニアが「デキナイをデキル」に変える。これが、プロジェクトサービスが提供する価値になります。

課題理解、プランニングからプロジェクトへ

長い歴史を持つ会社ほど、積み上げられた実績、そこに付随する情報は膨大で、自分たちが今、どこにいるのかを、客観的にとらえるのが難しくなります。プログレス・テクノロジーズの場合、コンサルティングサービスで、設計プロセス全体の改革提案ができるだけでなく、課題解決に直結するソリューション提案、現場の業務、定着をサポートするエンジニアリングサービスもあります。

そして、難易度の高い案件を請け負うプロジェクトサービスもあることで、ワンストップでのサービス提供が可能になっています。製造業の現場に近いほど、尖ったビジネスパートナーを求めています。そうしたニーズに応えるために発足したプロジェクトサービスの案件を受託するまでのフローは以下のようになります。

・課題理解

プロジェクトサービスには、クライアント企業との「協業」という側面があります。そのため、ま

ず必要なのはクライアント企業が解決したい課題、実現したい理想像の理解です。表面的な課題だけをとらえ、ツール導入で解決を図ろうとしたものの、うまくいかなかった。そんな話を耳にするのは、課題と理想像の理解が不十分、または曖昧なまま、見切り発車的にプロジェクトを進めるところに原因があります。

真のゴールに到達するには、どうすればいいのか。私たちは、豊富な業界経験、キャリアとスキルを持つエンジニアが、クライアント企業の課題、ニーズ、あるべき姿を徹底的にヒアリングするところから始めます。

・プランニング

課題を特定できたら、次のステップでは実現したいゴール、あるべき姿を設定し、そこに向かうプランに落とし込んでいきます。クライアント企業と、私たちのプロジェクトチームが開発計画や戦略を共有し、ＫＰＩ、必要とされる技術、開発リソース、体制を決めて、ゴール達成に向けて一緒に取り組むためのプランニングを行います。

・プロジェクトの着手

大きな案件ほど、まず小規模なパイロットプロジェクトから始め、リスクを最小限に抑えながら有意性を見極めます。その結果を踏まえ、本格導入が決まると、機能範囲や対応範囲、開発体制を拡大し、プランを具体化するフェーズに入ります。

プラン通りに進めるだけでなく、「＋Ｏｎｅ（プラスワン）」にこだわるところも特徴です。プロジェクトを進める過程で新たな気づきが生まれ、クライアントは気づかなかった課題が見えてくることもあるため、常に改善の視点を忘れないようにしています。

大変革の自動車業界に２社のコラボで挑む

では、実際にどんなプロジェクトを手がけているのか、事例をあげます。

メーカーの研究、開発の領域に踏み込むため、プロジェクトの多くはトップシークレットの案件。具体的な社名、詳細なプロセスは明かせませんが、プロジェクトサービスの大まかな流れはつかんでいただけるはずです。

■ 多くの開発現場で抱えている課題 ■

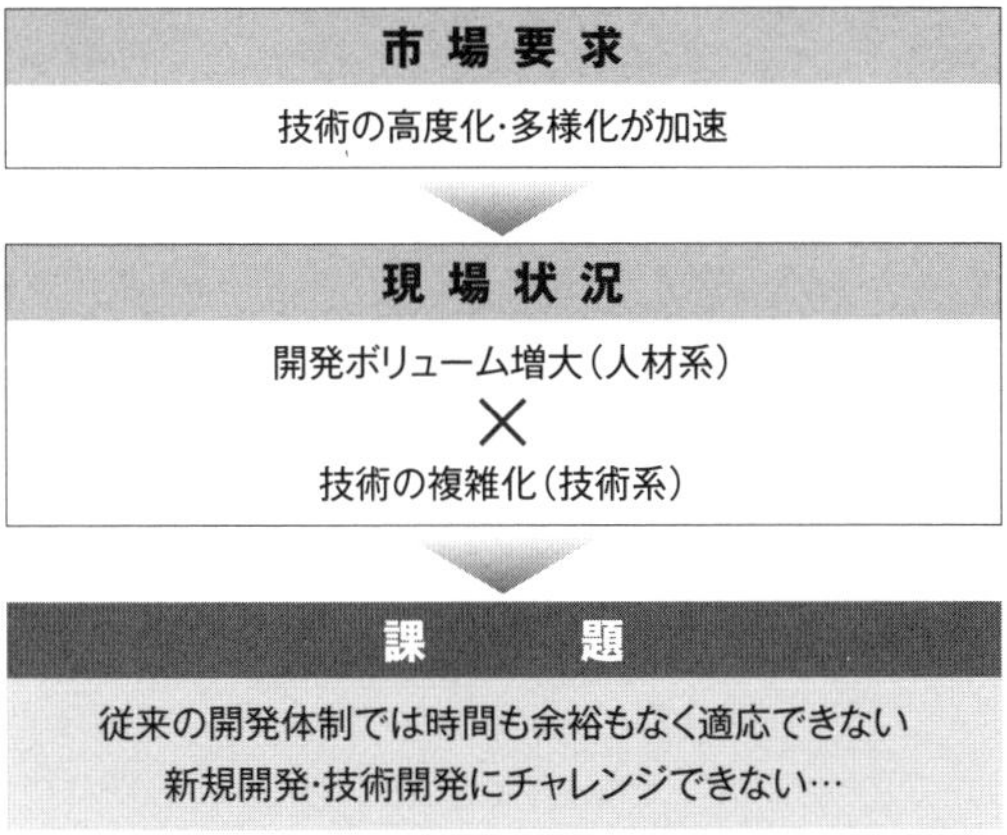

開発体制の強化で製品開発を支援

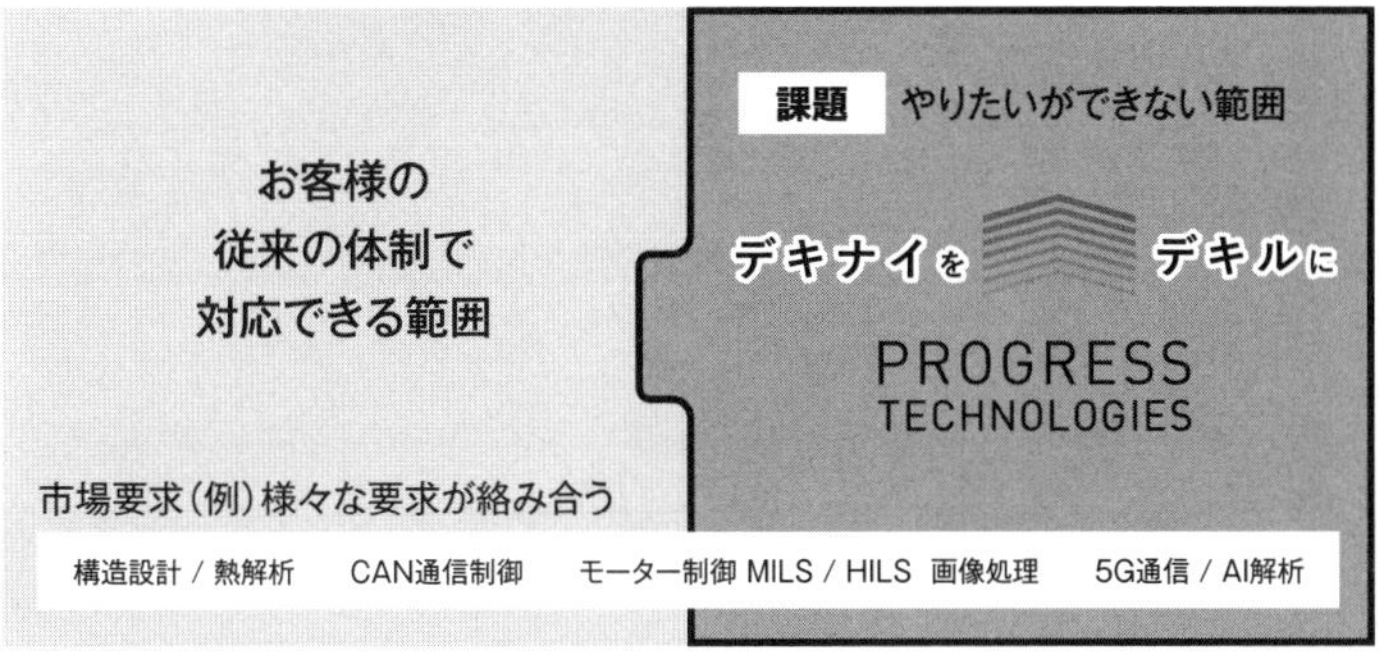

製造業の開発現場では、自社のリソースだけでは、時代、社会のニーズに応えた製品開発を、スピーディーに行うのが難しくなってきている。課題の一部を切り出し、委託を受け、社内で仕上げた成果物を納入するプロジェクトサービスは、「デキナイをデキル」に変える、プログレス・テクノロジーズの思いを端的に表すサービスとも言える。

【事例1】 自動車部品メーカーA社

・課題

大きな変革期にある自動車業界では、部品サプライヤーに求められる役割も変わっています。V字プロセスの上流を、ティア1（メーカーに直接納入する一次サプライヤー）が担うことになり、A社が担当する開発領域は拡大していました。

一方、領域拡大に対応するにあたって、エンジン制御開発に必要なMBD、制御ソフトウエアの開発リソースは不足していたため、増大する開発量に取り組むには開発体制の強化が必要でした。また、顧客要求、システムアーキテクチャーがより複雑化し、ソフトウエア実装や検証にも膨大な時間がかかり、新規開発が思うように進められないという課題にも直面していました。そうした背景があり、次世代モビリティに適応できる開発体制の強化と、上流プロセスを支える人材育成を、共に実行できる開発パートナーが必要と判断し、私たちのプロジェクトサービスに相談がありました。

・解決策

エンジン制御領域をサポートするチームを組み、通信機能からパイロットプロジェクトを開始。実業務では「仕様変更が頻繁で、分析・設計に膨大な時間がかかる」という課題を抱えていましたが、DB、PCアプリケーション、EXCELマクロで自動化。手作業だった分析・設計の工数を5割以上削減し、人的ミスによる手戻りも削減しました。

その実績を受け、制御範囲の拡大、開発体制の強化へと移行。1年後にはさらなる領域拡大と開発加速のため、戦略的業務提携を締結。開発計画、リソース計画の共有を密にしながら、制御機能ごとの人員を拡充し、課題だったV字プロセス上流制御領域の強化を進めています。

現在は点火・噴射、診断機、各種検証など、制御対象ごとに混合チームを編成し、開発体制を強化しています。また、上流プロセスを支える人材育成をともに実行できる開発パートナーとして、ある種、理想的な関係を構築できています。

・成果の要因

これは他の事例も同じですが、クライアント企業の困りごと、達成したい目標を明確に共有して、プロジェクトに着手できたことが成果につながりました。メーカーは、我々のような外部パートナーに対して、自分たちの弱みはなかなか見せようとしないものです。A社の場合、情報の開示を徹底していただけたため、必要な情報をすべて共有できたところがポイントでした。信頼関係の構築という意味で、私たちにとっても貴重な経験となっています。

【事例2】 国内メーカーB社

・課題

コロナ禍で働き方改革が急展開したことで、オフィスに限らず、どこでもワークスペースになる時代を迎えています。また、自然災害の被害も増えており、非常時への備えの重要性は高まる一方です。そんな社会背景もあり、小型・軽量で持ち運べる、ポータブル電源へのニーズが世界中で高まっています。

中国、韓国などのメーカーから、安価で高性能の製品が発売される中、B社の製品は10年ほど前に発売したまま、後継機の開発がされていませんでした。現行品のスペックや形状、デザインでは、時代のニーズに応えるのは難しく、競争力も低いため、市場から淘汰される可能性が増していました。

フルモデルチェンジを検討したものの、現場は通常の業務に追われ、並行して開発を進めるにはリソースも不足しているため、自社だけで進めるのは難しい。そこで、高い設計力があり、想定される計画変更に柔軟に対応できる私たちに声がかかりました。

・解決策

この案件では、私たちがプロジェクトの一部を請け負うのではなく、構想設計から基本設計、詳細設計、解析、評価など、一連のプロセスをすべて担当しています。構想設計は小規模のチームで始め、詳細設計のフェーズでチームを拡大し、予算・リスクを最小限に抑えながら、プランにそってプロジェクトを進めました。

方向性を間違えないよう、週一回の定例ミーティングを行い、円滑な進行を心がけました。また、委託メンバーの一部がクライアント企業の現場に常駐し、タイムリーな情報連携を行いながら、アウトプットの品質にもコミットしました。

・成果の要因

前述したように、開発の全プロセスを担当させていただいたことが大きなポイントです。プログレス・テクノロジーズには、メカ・構造系での実績が豊富にあるため、十分な機能性を持ちながら、市場で勝負できるデザイン性も重視した開発を行いました。

選ばれたエンジニアがプロジェクトに参加できる

プロジェクトが生まれる過程は大きく３つに分けられます。

まず、エンジニアリングサービスで技術提供しているエンジニアが、クライアント企業の信頼を得て、「会社の他の人も巻き込んで、チームとして開発を丸ごとお願いしたい」となるケースが1つ。製品の1つ、ソフトウエアの1つを指し、「これに関することを全部やってほしい」となるケースもあります。

製造業の現場には、開発の管理工数を減らしたいという思いがあるため、この形での委託も多くなっています。

もう1つは、営業活動によって受注を受けるケースです。

プログレス・テクノロジーズに在籍しているエンジニアは約500名ですが、プロジェクトサービスに関われる人は決して多くはありません。

開発プロジェクトに参加するには、設計現場で培った経験、広く深いスキルの知見など、設定されるハードルは高くなるからです。それでも、キャリアパスとしてプロジェクトサービスの参加を希望するエンジニアは、年々増えています。

育成の考え、具体的な施策は第五章でまとめますが、「デキナイをデキル」に変えられるエッジのきいたエンジニアを育成しながら、プロジェクトサービスの範囲を広げていくつもりです。

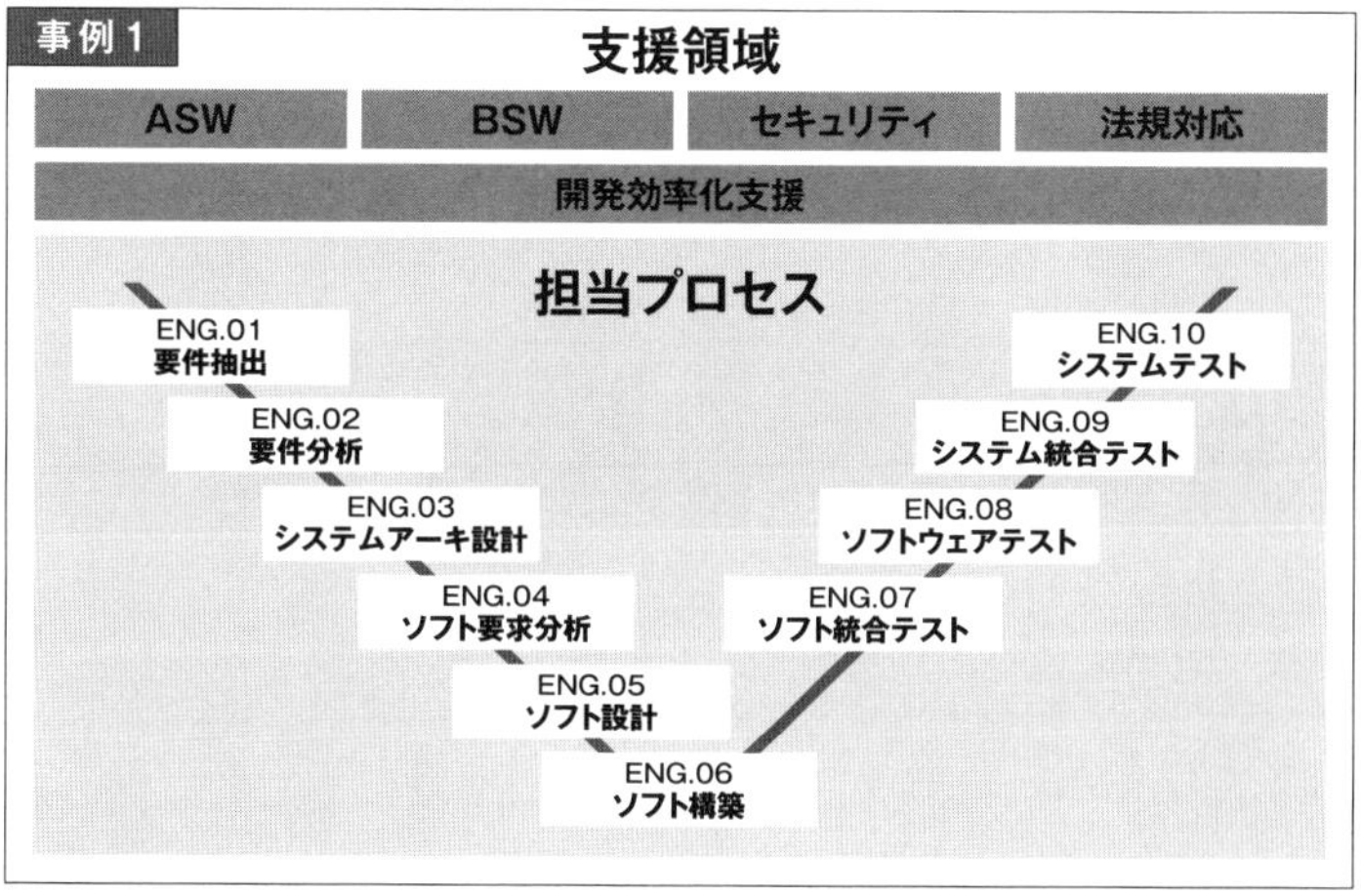

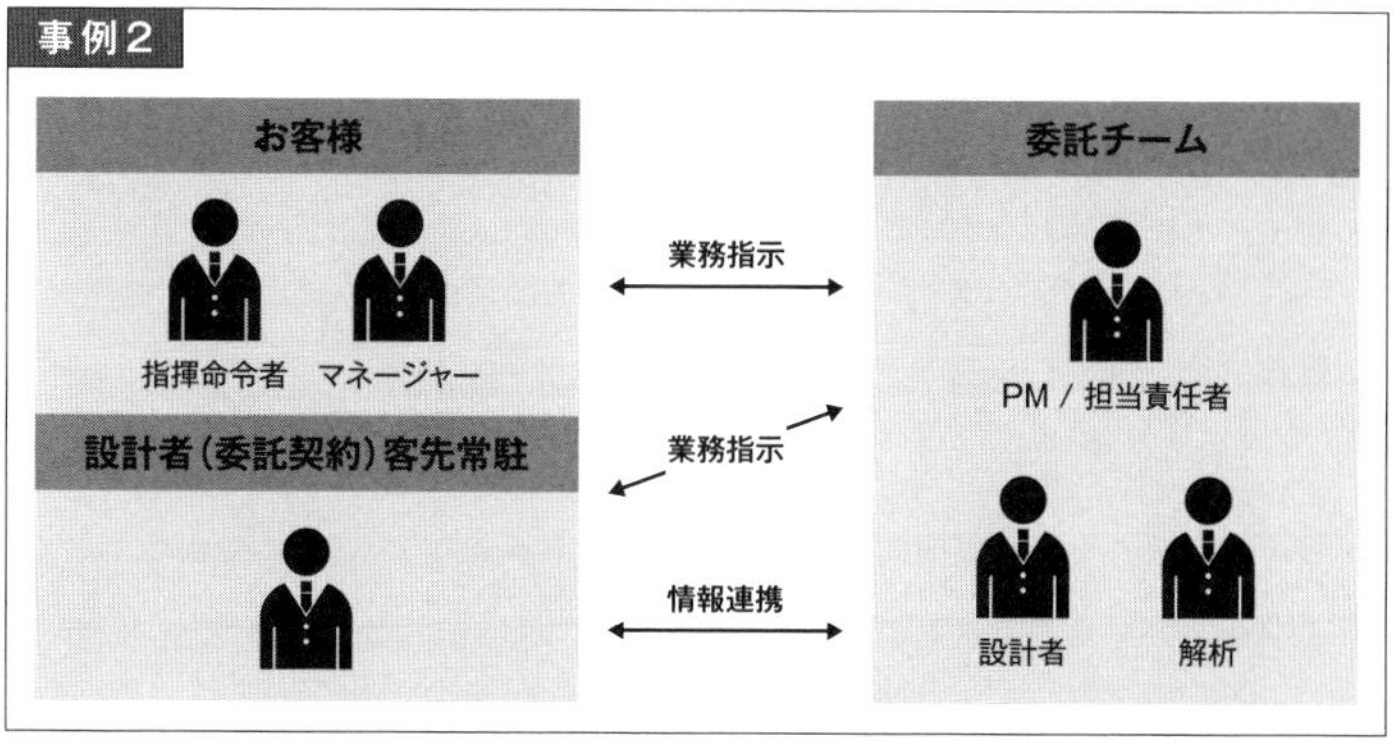

事例１．各種センサ、点火・噴射、CAN通信など、制御機能ごとに必要なチーム体制を築き、クライアント企業の課題だったV字プロセス上流の制御領域で成果をあげている。

事例２．設計者を専任としてクライアント企業に常駐させ、委託チームとコミュニケーションを取り、設計力という強みを最大限に生かせるプロジェクトを組成した。

▽エンジニアリングサービス

設計開発の領域に特化して開発リソースと技術の課題を解決

メーカーの設計開発の現場では、多様化、複雑化する市場ニーズに対応するため、開発のボリュームが増大傾向にあり、慢性的な設計者不足が課題となっています。メカ・エンベデッド・ＳＩの各分野で、クライアント企業のプロジェクトの一員として、設計・開発業務の支援を行うのがエンジニアリングサービス。技術力、そして人間力を兼ね備えた私たちのエンジニアは、設計のプロフェッショナルとして、開発の上流工程での支援を行います。

エンジニアリングサービスは、プログレス・テクノロジーズが創業以来、継続して取り組んできました。

優秀なエンジニアが実務支援に入り、さまざまな現場で経験を重ね、スキルを研き、個々が成長していくと同時に、現場での気づきに対してチームとして対処できるようになります。ここまで紹介してきたコンサルティング、ソリューション、プロジェクトの各サービスは、エンジニアリングで実績を残し、メーカーの設計現場から認められてきたからこそ、それぞれ独立したサービスとして提供できるようになった。そんな見方もできます。

プログレス・テクノロジーズの特徴、強みはどこにあるのか。最もわかりやすいのは、モノづくりの上流工程である設計・開発領域に特化していることです。上流工程、設計・開発の段階から関わると、既に決められた仕様に従って手を動かすのではなく、その前の「頭を使う」プロセスにも深く関わります。


頭を使う。表現を変えると「クリエイティブワーク」。開発の出発点となるコンセプトをもとに設計は始まりますが、そのコンセプトをどう形にするか。どんな素材を使い、機能を持たせればいいのか。基本的な構想を考え、固めていく過程は、手を動かすと同時に頭を使う、クリエイティブな領域です。上流工程に携わるということは、そうしたクリエイティブな領域で自分を磨くことでもあり、他ではあまり経験できません。

クリエイティブワークについて少し補足しておきましょう。

私たちがサービス提供するのは、要件定義から始まり、基本設計、詳細設計、ソフトウエアならプログラミングにあたる領域です。要件定義の例をあげると、洗濯機を開発する際、どんな機能、性能を持たせるかの方向性を、市場ニーズを踏まえながら決めていくプロセスです。要件定義にもとづき自動で洗剤を入れる、シワを伸ばす、乾燥させるなど、機能を含めて基本性能を決めるのが基本設計。

詳細設計では、洗剤を導入するタイミングを、センサーを使ってどう決めるかなど、規格にもとづいてつくり込んでいきます。

要件定義の段階で方向性を間違えると、その先の設計で修正するのは難しくなるため、想像力と創造力をフルに働かせなくてはいけません。開発の上流工程に携わるということは、設計の前段階のクリエイティブな発想も求められるのです。ここが設計開発プロセスの中でも、最もワクワクするポイントの1つと言えるでしょう。

「業界を限定しない」という戦略の意味

創業したばかりの頃、私たちには実績がなく、また、今ほどメーカーの設計現場のリソース不足が顕著ではなかったため、上流工程に外部のスタッフを加えるのは稀でした。しかし、私たちが成長していく一方、設計開発の現場を取り巻く環境は大きく変わっています。

市場からの多様化、複雑化するニーズに対応するため、設計開発のプロセス改革が求められ、社内のリソースだけで新たな価値を創造するのが難しくなってきています。それに伴って現場の実務支援人材への要求レベルは高くなり、パートナーとして社員の右腕、または同等の仕事をすることが求め

エンジニア体制

メカエンジニア 約200名

外装・筐体設計、機構設計、光学機器設計、金型設計、
生産設備設計、性能設計、CAE / 解析、
CATIA、Creo、(Pro / ENGINEER)、NX、Inventor、AutoCAD、I-DEAS、
SolidWorks、Abaqus、ANSYS、Isight

エレキエンジニア 約70名

パワエレ回路設計、アナログ回路設計、デジタル回路設計、
高周波回路設計、ASIC設計、LSI・FPGA設計、
MATLAB / Simulink、CR-8000、CR-5000、Cadence社CAD、
DesignWorks OrCAD

ソフトエンジニア（組込・制御&IT） 約230名

上流システム設計、プラントモデル設計、制御モデル開発、
制御ソフト開発、ISO26262、ファームウェア開発、業務系システム開発、
MATLAB/Simulink、TargetLink、Stateflow、GT-Power、
GT-suite、CarSim、LABCAR、CANoe、LabView、Python、
C・C++、アセンブラ、WinAMS、Java、JavaScript、CS+、HEW

自動車 / 商用車関連	半導体関連
精密機器関連	重工・建機関連
医療機器	IT

プログレス・テクノロジーズに在籍するエンジニアは約500人。新卒の採用に力を入れており、毎年、一定数を採用し、メーカーの設計開発の現場で経験を積ませる。エンジニアとして市場価値を高めながら、コンサルティング、ソリューション、プロジェクトの各サービスへも参加する可能性が生まれる。支援先の業界が、自動車/モビリティを中心に幅広いというところも、エンジニアリングサービスの特徴だ。

られています。

そんな背景もあり、自社にはない経験、技術を持つパートナーへのニーズが、設計開発の現場でも高まっていきました。プログレス・テクノロジーズのエンジニアリングサービスは、そのニーズに高いレベルで応えられるので、評価されているのだと思います。


前述したように「業界を限定しない」ところも、エンジニアリングサービスの特徴です。現在、私たちがサービスを提供している業界は自動車／商用車、半導体、精密機器、重工／建機、医療、ＩＴ、航空／宇宙など多岐にわたります。特定の業界に特化したほうが、事業は進めやすいと思うかもしれませんが、私たちの考えは別です。

というのも、業界が変わっても技術の軸は変わらないからです。ツールやシステムは業界によって変わりますが、設計の基本的な考え方、技術は変わりません。業種を特定しないほうが幅広くサービスを提供できるし、ある業界の成長が鈍化しても、他の業界が成長を続けていれば、安定した経営も可能になります。軸となる技術に、それぞれの業界特有の考え方、プロセスを反映させていけば、提供できるサービスの幅も広がる。これが私たちの考え方です。

私たちのエンジニアリングサービスが、クライアント企業にどんな価値をもたらすのか。以下、３つのポイントにまとめます。

・優れた人材活用と安定稼働

多くの設計開発の現場では、人手不足が深刻な課題となっています。即戦力となる人材は簡単に採用できないし、採用できたとしても、製品知識や設計文化の理解、ツールへの慣れなど、実際に戦力となるには時間がかかります。経験は十分でなくても、向上心の高い、若手エンジニアの登用を私たちは提案します。

インプットの時間は必要ですが、若い分だけ吸収力が早く、3年もすれば、即戦力として採用した人より質の高いアウトプットを出せるエンジニアもいます。私たちは毎年、有望な若手エンジニアを積極的に採用し、メーカーの設計開発の現場を経験させながら、短期間で育成するノウハウを持っています。定着率を上げて開発体制を強化、そして維持したいという課題に自信を持って対応できます。

ある企業から「即戦力として採用した10年選手より、若手で4年間、一緒に仕事をしてきたプログレス・テクノロジーズのエンジニアのほうが、難易度が高い仕事をまかせられる」という声をいただいたこともあります。

・教育工数削減、設計品質の均一化

ベテランエンジニアが退職し、新しい人材を採用したものの、教育に日数がとられ、設計業務に手をつけられない。同じパートナーから採用した人材でも、設計ノウハウが属人化しているため、指示者がついて品質管理しなければならない。

こうした課題に対して、私たちはチームでのアサインを提案しています。リーダーエンジニアを中心にチームを組み、新規受け入れ時の教育、業務管理も担当。チーム内で教育、育成を行いながら、設計ノウハウを共有することで、設計品質の向上や安定化に取り組みます。

同一製品かつ同一業務で、チームでまかせてもらうところがポイントです。製品や設計ユニットが異なると、必要とされる設計ノウハウも異なるため、解決したい課題を一緒に見極めながら、最適な落としどころを探り、提案していきます。

・市場価値の高いエンジニアが製造業を変える

事例を1つあげておきます。

ある大手プリンターメーカーは、「良い人材を長期、安定して雇いたい」「コストは抑えたい」「社員が細かく指揮命令する必要のない体制で、社員の負荷を軽減したい」。こうした課題を抱えていましたが、私たちはこんな提案で解決を目指しました。

まず、リーダーとメンバーを合わせ、2名以上のエンジニアでチーム化できる業務を相談。選んだ業務にまずリーダーエンジニアをアサインし、一定期間の実務を行いながら、製品知識や設計文化を

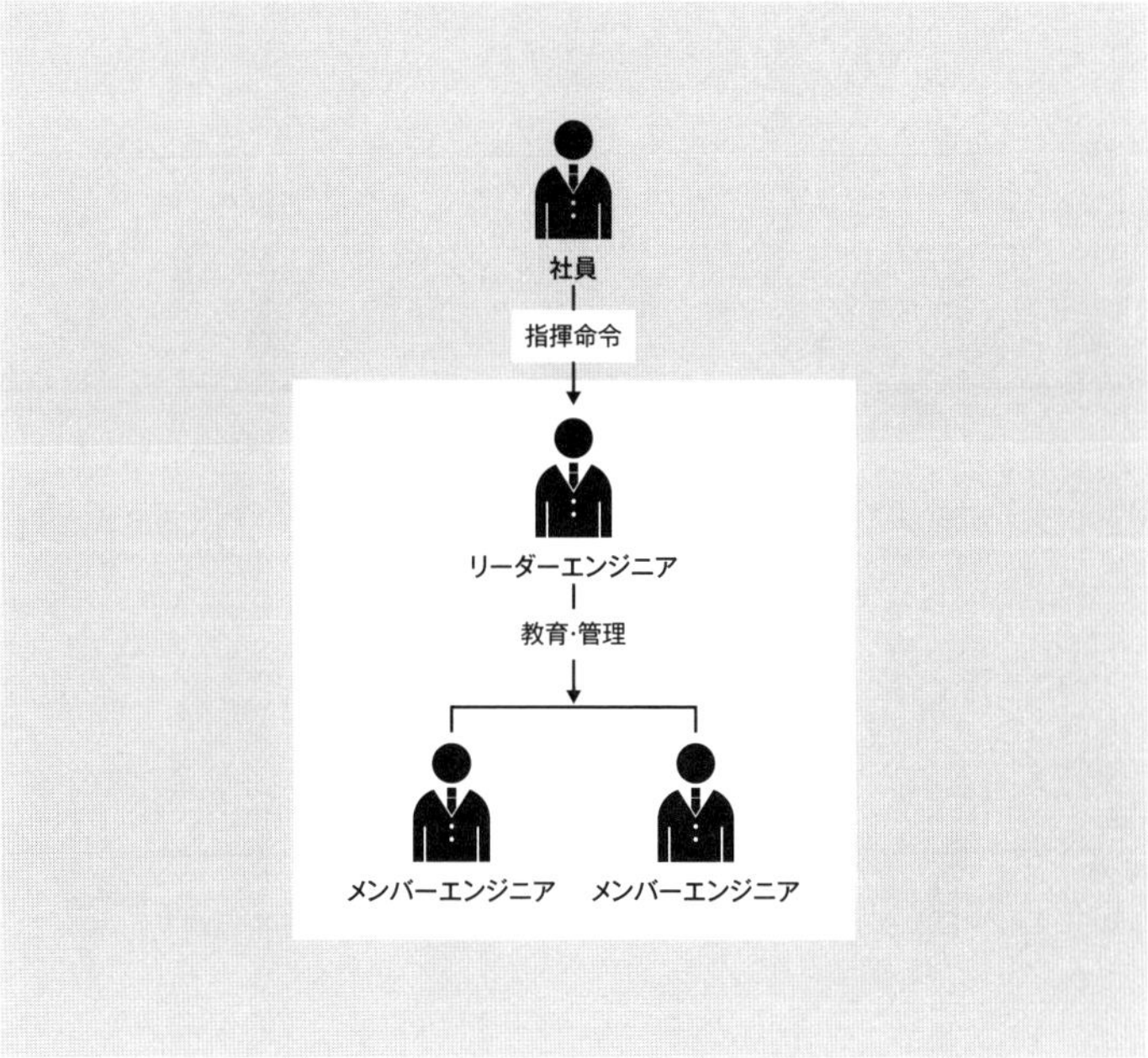

課題

・良い人材を長期に安定（稼働）して雇いたい
・社員が細かく指揮命令する必要のない体制にして、社員の負荷を下げたい

あるプリンターメーカーの事例。お客様の課題に合わせた対応ができるところも特徴の1つで、教育・管理を行うリーダーエンジニアを置き、管理工数の削減を実現した。

習得させます。ノウハウを後続メンバーと共有するタイミングをクライアント企業、チームリーダーが検討し、後続メンバーのアサインを始め、チーム化を進めました。リーダーエンジニアが機能することで、社員の教育、管理工数を削減できます。

働く側から見ると、私たちの体制、やり方にはどんなメリットあるのでしょうか。

1つ目は「市場価値」で、設計開発の工程に特化することで、エンジニアは全体を俯瞰する目と高いスキル、そしてクリエイティビティを身につけられます。これは、どこの設計現場でも強く求められる力です。

例えば、自動車の開発は電動化が大きな方向性になっていますが、カメラやセンサーと画像処理、モーターをはじめ、以前の自動車では必要とされなかったテクノロジーが、次世代モビリティ開発の中心にあります。そこで求められるのは、市場が求める要件を把握、分析しながら、それを技術に落とし込めるエンジニアです。

上流工程の経験を積むことで、そんな市場価値の高いエンジニアへの道が開けます。

もう1つは「キャリアパス」です。

設計実務支援が主な業務の会社の場合、所属しているエンジニアは、ずっとエンジニアのまま働き続けることになります。仮にチームリーダーをやりたい、プロジェクトマネージャーを目指したいとなっても、望むようなキャリアパスを実現するのは難しいのが現実です。

私たちには、エンジニアリングサービスの他に複数のサービスがあります。開発の成果を提供することで、課題解決に貢献するプロジェクトサービス。最先端のツール、ソリューションでの課題解決を支援するソリューションサービス。設計プロセス全体の変革を提案できるコンサルティングサービス。

こうしたサービスを、ワンストップで提供できるのが私たちの強みですが、所属するエンジニアのキャリアの視点から見ても大きな意味があります。エンジニアとして現場で働きながら、スペシャリストになりたい、マネジメントをやりたい、コンサルタントを目指したいなど、いろいろな希望が生まれてくるでしょう。

前述したように、私たちにはエンジニアリングをベースに複数のサービスを有しているため、キャリアパスの選択肢が広くなります。具体的な選択肢については、第五章でモデルケースを含めて紹介します。

ここまで紹介してきた4つのサービスとはフェーズが異なりますが、クライアントとの共同開発、共同研究によって、最先端の技術を活用した受託開発、受託設計、未来の技術開発を行うR＆D部門もあります。手がけるプロジェクトの内容に強い守秘義務が課されており、詳しい事例の紹介はできませんが、モノづくりの醍醐味である「ワクワク」が凝縮した場です。R＆Dには未来の一部をつくる場がある。そんなふうにイメージしていただけたら幸いです。

第四章　モノづくり現場のＤＸ、その最前線で起きていること

コマツ×プログレス・テクノロジーズで挑む変革

前章では、プログレス・テクノロジーズの事業、提供するサービスについて述べました。エンジニアリングだけでなく、コンサルティングとソリューションも合わせて、「ワンストップで提供できる体制」にあることはわかっていただけたと思います。

私たちが目指すのは、製造業の現場に寄り添い、設計開発プロセスを変革し、世界と戦える競争力をつけてもらうこと。そして、お客様と一緒に、まだ誰も見たことのない領域の扉を開き、ワクワク感であふれるモノづくりの場を取り戻すお手伝いをしたいと考えています。

そうした世界観を実現するには、私たちに最新技術への理解、豊富な経験があるのはもちろんですが、クライアント企業との関係が最も重要になります。設計開発の現場に寄り添うため、お互いに理解を深めなければいけません。かなり突っ込んで話をさせていただくことになりますし、普通なら、社外には出さない情報にふれる機会も多々あるからです。

理解を深める。つまり「信頼関係を構築できるか」が、伴走するようにプロジェクトを支援し、成果につなげていくためには欠かせません。

ただ、ひと言で信頼関係といっても、その深度はさまざまです。プログレス・テクノロジーズが理想とする信頼関係の一例として、この章ではコマツ（株式会社小松製作所）と取り組んだ事例を紹介したいと思います。

１９２１年、石川県小松市で設立した同社は、２０２１年に創立１００周年を迎えました。日本を代表する建設・鉱山機械のメーカーであり、グループとして２５６社、連結で６万人を超える従業員を抱える、世界的な大企業です。そのコマツと私たちが、どう信頼関係を築いてきたのか。また、実際にどんな支援を行っているのか。それを広く伝えるため、２０２２年１月に共同でセミナーを開催しました。

セミナーは、コマツの開発本部 油機開発センタ先行研究グループでＧＭを務める名倉忍氏による講演と、プログレス・テクノロジーズのコンサルタントを含めたパネルディスカッションの二部構成。製造業ＤＸを推進するための要である、設計プロセス改革のリアルを感じていただくために、この紙面を借りて講演とパネルディスカッションの様子を再現します。

講演　コマツの設計プロセス改革——設計ＤＸに向けた技術・ノウハウのデジタル化

建設・鉱山機械の他に、ユーティリティー（小型機械）、林業機械、産業機械などの事業を展開するコマツ。建設機械は油圧ショベル、ブルドーザー、ホイールローダーなど種類もサイズもさまざまで、一般土木や鉱山以外にも、道路工事、解体など幅広い領域かつ世界中の現場で使われています。ラインナップの豊富さだけでなく、性能の決め手となるエンジン、油圧機器、トランスミッション、電子機器などの主要コンポーネントを、自社で設計開発・生産するところが、特長であり強みと言えるでしょう。

コマツは、建設・土木領域のデジタル化、DXを積極的に進めるフロントランナーとしても認知されています。名倉氏はまず、同社の先進的な取り組みについてふれました。

最初にあげたのは「建設機械の自動化」に向けたICT建機の開発です。GNSS(全世界測位システム)や、作業機の計測・制御システムを搭載した建設機械がICT建機。「ICT建機を自動で制御することで、熟練オペレーターでなくても、精度の高い施工ができるようになります。また、施行中の測量が不要になるため、工期の短縮も実現します」(名倉氏)

ただ、ICT建機ですべてが解決するわけではなく、コマツは労働者不足や現場作業員の高齢化、安全やコストなどさまざまな課題を解決し、安全かつ生産性の高い「スマートでクリーンな未来の現場」を実現するソリューションとして、「SmartConstruction(スマートコンストラクション)」も展開しています。

「以前は、作業員が現場を歩いて測量し、その結果をもとに2次元図面で施工計画を作成していました。その計画にもとづいて熟練オペレーターが建機を操作し、現場の作業員が施工状況を確認。最後に別の作業員が検査するのが一般的な流れでした。

スマートコンストラクションでは、まずドローン等による3D測量を行い、取得した現場の3Dデータと、3Dの設計データを使い、施工計画と施工シミュレーションを行います。ICT建機での施工も、3D設計データにもとづいて行われます。進捗の管理にも、ICT建機から得られるデータが使われ、最終的な検査にもドローン等が活用されます」(名倉氏)

調査・現況測量、施工計画作成、施工・施工管理、検査というプロセスを、それぞれデジタル化して進めるのがスマートコンストラクション。各プロセスのデジタル化を、名倉氏は「タテのデジタル化」と呼びます。ICT建機は「施工・施工管理」過程のタテのデジタル化ですが、前後のプロセスをデータでつなぐ「ヨコのデジタル化」が実現してはじめて、施工全体の最適化、スマート化が実現するのです。

この「タテとヨコのデジタル化」は、製造業のDX全般について、極めて示唆に富む考え方だといえます。ＤＸを進める際、デジタル化と親和性の高い部署、領域が先行することがありますが、牽引するという意味では重要でしょう。ですが、特定の部署、領域だけがどんどんデジタル化を進めても（タテのデジタル化）、前後のプロセスとの連携（ヨコのデジタル化）がなければ、本当の意味でのＤＸには至らないはずです。

前後のプロセスと連携する「ヨコのデジタル化」の重要性

ポイントを絞ったタテのデジタル化は取り組みやすく、そこで満足してしまうケースもあるのではないでしょうか。大切なのはタテとヨコ。前後のプロセスと連携するときは、特定の考え方、進め方、用語ではなく、ある程度「抽象化」した伝え方が必要になります。それぞれのプロセスがタテのデジタル化を進め、抽象化しながら前後のプロセスと連携し、ヨコのデジタル化へ。そして、全体を最適化していくのが理想の流れと言えるでしょう。

このタテとヨコのデジタル化は、自社製品の設計業務にも生かされているといいます。複雑化、多様化する製品要求に対して、高品質はもちろん、リードタイムを短縮したタイムリーな開発が求められており、それが開発部門の課題でした。その課題を解決すべく、名倉氏が所属する油機開発センタは設計プロセス改革に着手します。

「ポンプがエンジン出力を油圧に変換し、コントロールバルブがオペレーターの操作に応じて油圧を分配することでモーターを回転させ、走行やショベル上部の旋回を可能にするのが油圧機器です。油圧機器によって、建設機械の力強くかつ精密な動きが実現するため、自動化においても重要な役割を果たします。ポンプ、バルブ、モーター、シリンダーなど、当社の油圧機器は建設機械のサイズに合わせて用意されていますが、自社で開発・生産することで、高い信頼性と品質を実現し、付加価値向上を追究してきました」（名倉氏）

名倉氏によると、油機開発センタが直面していた課題は大きく2つあります。1つは「自社開発の成長期を支えた、経験豊富なベテラン設計者からのノウハウや技術の承継」。もう1つは「新たな製品要求に対する開発工数の確保」です。

「油圧機器の自社開発・製造が始まったのは1970年代です。ショベル用油圧システムが進化し、品質と信頼性の向上、コスト改善等に取り組んだ80年代から90年代の成長期。油圧技術を他の機種や装置へ展開した2000年以降の発展拡大期を含め、設計現場を支えたベテラン設計者のノウハウ、技術をどう受け継いでいくか。開発工数に関しては、設計プロセスで生じる設計検討のヌケ、モレ、ムラによる手戻り。過去の設計情報、不具合情報の埋没による情報発掘の余計な工数、活用不十分による手戻りをなくす必要がありました」（名倉氏）

暗黙知のデータ化に取り組むも、なかなかうまくいかなかった

そうした課題が生まれる背景としてあげられたのが「経験による設計検討」「膨大な情報」の2つ。人間系頼りの属人的なプロセスに、そもそもの原因があったのです。

「設計時に何を検討し、どの情報を参照するのかに関しては暗黙知の部分が大きく、ベテラン設計者頼みになっていたのです。また、社内には設計に関して、長年蓄積してきた膨大な情報があるものの、効率的に参照できない状況もありました」（名倉氏）

ここで名倉氏は、若い設計者の声をいくつか紹介します。

「何を検討すべきか、どの標準を見ればいいのかは暗黙知。自分で設計時に気づくのは難しく、ベテランの設計者に頼らなくてはいけないことが多い」

「設計時のチェック項目が膨大。また古く、意図や根拠がわかりにくいチェック項目がある」

「情報量は多くても散らばっている。複数のシステムをまたいで検索する必要がある。手間がかかるし、探し切れないので統一したほうがいい」

「情報を集めても、古かったり、間違いがあったりするかもしれないので、確認して使っている。勉強のためならいいが、無駄な作業だと思う」

程度の差はあっても、こうした声は「設計現場あるある」でよく聞かれます。

ベテラン設計者の経験、ノウハウは暗黙知であり、若い世代に引き継がれていない。蓄積された情報があっても、整理、データ化がされておらず、参考にするにしても使いづらい。どうしても、属人的な方向に向かいがちな設計プロセスを変革するために、油機開発センタはプロジェクトに着手しました。

「経験豊富なベテラン設計者と若い設計者では、設計品質、効率にどうしても差が生まれてしまいます。設計品質のバラつきを解消するため、ＩＴを駆使した設計プロセス改革に挑みました。ベテランが持つ設計のノウハウを整理、標準化し、ナレッジやデータの形に落とし込む。それらをデジタル技術でつなぐことで、若手でもベテラン品質の設計ができ、シミュレーション技術の活用による、設計品質の高度化を目指します。

ただ、これは「設計業務そのものを見直す」取り組みでもあり、設計者は日々の設計業務に忙殺されているため、設計プロセス改革に費やせる時間は限られてしまいます。また、慣れてしまっている設計プロセスのどこに課題があるのか。自分たちではなかなか気づきにくいという問題もありました」（名倉氏）

コマツでは以前にも、ベテラン設計者のノウハウや知見を残そうと試みたことがあるそうです。しかし、「方法がわからない」「試行錯誤になって気力が続かない」などの壁にぶつかり、頓挫してしまった経験があります。そこで決断したのが外部のサポートです。プログレス・テクノロジーズが参加し、設計部門のトップ、設計現場が一体となって取り組み、設計プロセス改革を進めてきました。

一般的に、経営に近い層と現場には意識のギャップが生まれがちです。ＤＸを進めるには、経営者の明確な意思、そしてリーダーシップが必要だといいますが、現場とのギャップが埋まらないまま進めてしまうと、思うような成果が得られないことがあります。経営層も現場も課題意識は持ちながら、ボタンのかけ違いが起こるためです。

そこで重要なのが、ゴールの設定と、そこに至るプロセスの整理。経営層と現場では、役割こそ違うものの、目指すべきゴールは同じはずです。両者の間に入り、設計現場では、リアルな課題と戦術を共通の設計言語で話し合い、経営に近い層とは、やや抽象化しながら、大きな戦略として理解していただく。そういう存在が必要です。

コマツの場合、設計トップと設計現場が課題を共有し、改革に取り組んできた経緯があるため、そこまでの役割は求められませんでした。ですが、大きな組織であり、改革を加速させるためにも、私たちのような存在が必要だったのだと思います。

ベテラン設計者のノウハウをデジタル化

続いて、名倉氏は油機開発部門の設計プロセス改革事例を３つ紹介しました。

1. 設計検討計画（ＦＭＥＡ）における技術・ノウハウのデジタル化
2. ポンプ基本設計における技術・ノウハウのデジタル化
3. 改革プロジェクトに設計者を巻き込むまでの流れ

プログレス・テクノロジーズが最初に行ったのは、コンサルタントがコマツに常駐しながら、油圧機器開発のさまざまな課題をあぶり出すことでした。その上で、85ページ以降でふれた独自のメソッド「ＰＴ ＤＢＳ」を使い、ベテラン設計者が持つノウハウや知見などの暗黙知を、デジタルデータとして可視化します。名倉氏があげた「設計検討計画」「ポンプ基本設計」にも、このプロセスが反映されています。

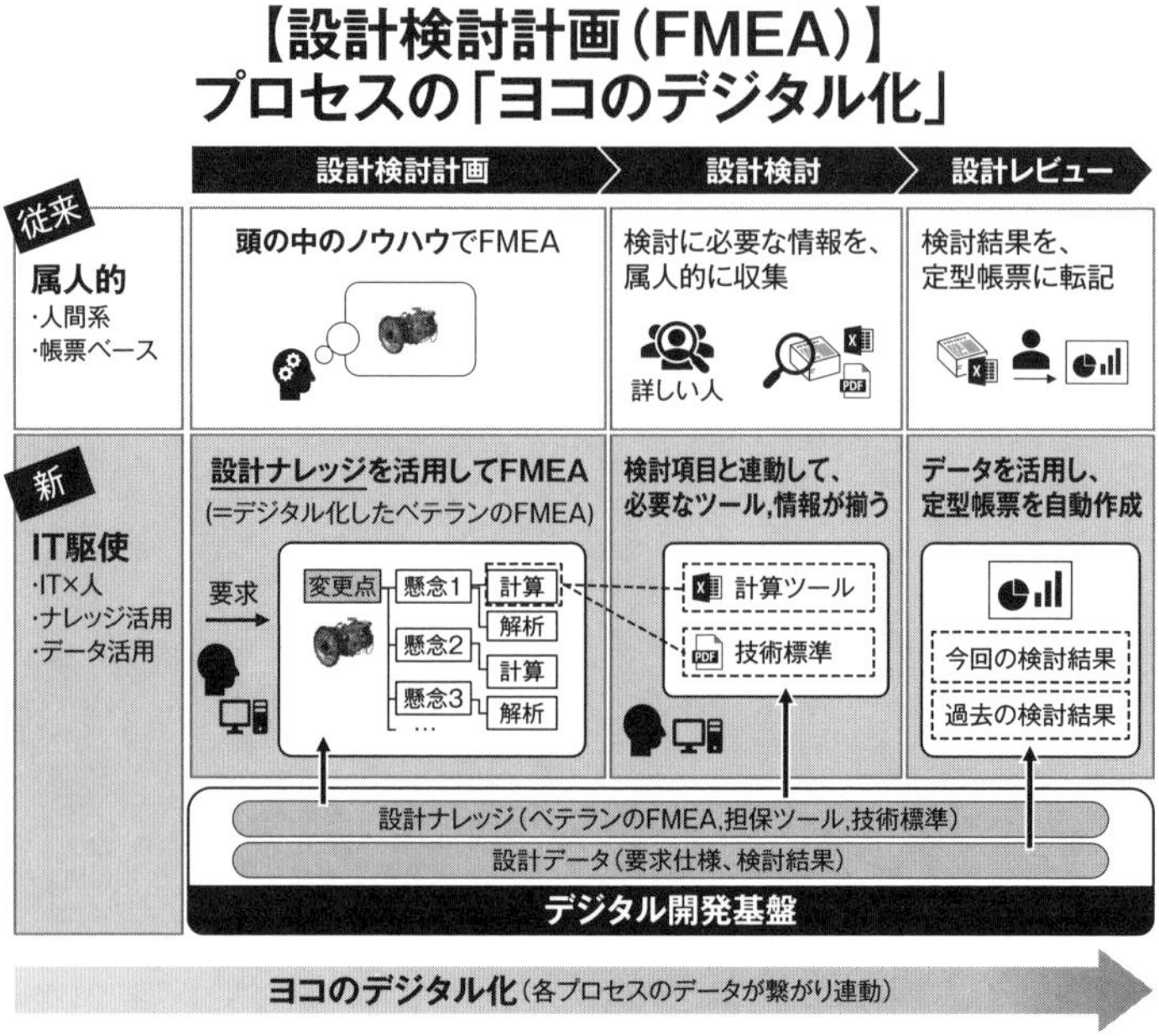

【課題】

1. 膨大な情報を、
   属人的に扱っている

⇒・**技術・ノウハウの散逸化**
　・**情報発掘の余計な工数**

【ねらい】

1. 技術ノウハウの集約と再利用性向上

2. 定形作業工数の削減

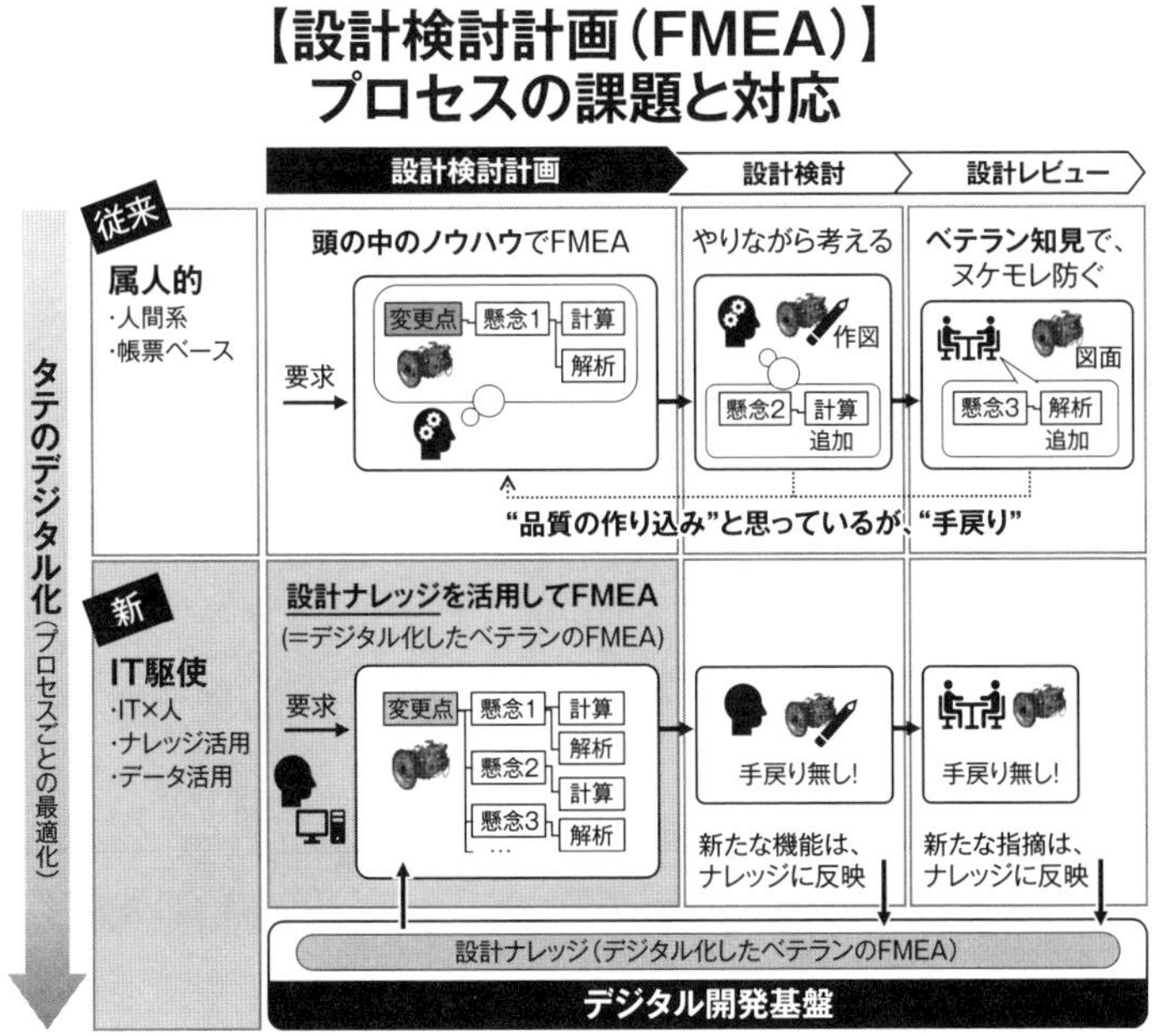

【課題】

1. 人間系、経験依存の
   設計プロセス

2. 経験豊富なベテランの減少

【ねらい】

1. 誰でもベテラン品質
⇒設計品質安定化

2. 設計上流での設計品質作り込み
⇒手戻り防止

3. 個人知の組織知化
⇒組織の弱体化防止

従来の手法の課題は属人化で、経験豊富なベテランは年々減少していた。そこで、タテのデジタル化でベテラン設計者の知見を可視化し、誰でもベテラン品質の検討が行えるようにした。また、情報の散逸化、発掘に時間がかかっていた横の連携も、データの活用で定型帳票の自動作成などを実現。ヨコのデジタル化で情報の集約、作業工数の削減を狙っている。

それぞれ、少しずつ補足しておきましょう。

車体開発部門から油圧機器の要求仕様が届くと、まず「設計検討計画（ＦＭＥＡ）」により、ベースとなる油圧機器に対して、どこをどう変更するか考え、変更を担保する手段（計算や解析）を計画します。従来は、個々の設計者が頭の中にあるノウハウを元に変更内容を決定し、懸念点を洗い出した上で担保手段を考え、設計図面を作成していました。

「ここで懸念事項のヌケ、モレがあった場合、再び設計検討計画へ戻ります。ベテランが行う場合、比較的少ない手戻りで済みますが、若く経験が少ない設計者の場合、膨大な手戻りが発生する可能性があります。設計レビューをベテランが行うことで、出来るだけヌケ、モレを防ぎますが、手戻りをゼロにはできません。

こうした手戻りを、多くの設計者は「品質のつくり込み」だと考えていましたが、これが設計期間の長期化、設計品質のバラつきにつながっていたのです。また、頼みの綱だったベテラン設計者が、年々減少しているのも課題でした」（名倉氏）

ベテランの知見をデジタル化し、設計初期段階で要求仕様に応じた設計検討計画のヌケ、モレをなくし、設計品質を安定させること。上流工程での設計品質のつくり込みによる手戻りの防止。個人知の組織知化により、組織の弱体化防止が対策として求められます。そのために行ったのが、既存資料の情報をリスト化し、参照すべき情報がどこにあるのかを明確化することでした。そして、ベテラン設計者の知見を追加することで情報を補完し、情報のひも付けも行いました。

「要求仕様の変更に伴い、定格回転数の変更が必要な場合、ベアリングにも影響が及び、寿命不足が懸念材料として浮かびます。ベアリングの寿命計算、そのリスク評価を設計検討計画に盛り込み、一連の流れと、参照すべき情報のつながりを意識しながらデジタルで可視化することで、ヌケ、モレを排除できます。

こうした作業を、ベテラン設計者なら経験をもとに進め、参照すべき情報がどこにあるかも見当をつけられます。ですが、若い設計者の場合、可能性の検討にも、参照すべき情報がどこにあるのか、見つけるのにも時間がかかります。ベテランに質問するとなると、双方の手が止まって時間の無駄が生まれるでしょう。デジタル化したベテラン設計者の設計検討計画のロジックがわかれば、そうした問題は解決します」（名倉氏）

「PT DBS」がDXを力強く加速させた

名倉氏があげたもう一つの事例「ポンプ基本設計における技術・ノウハウのデジタル化」も、課題を抽出し、ベテラン設計者の暗黙知をデジタルで可視化しながら進められました。油圧ポンプは、近年の燃費向上ニーズを背景に、エンジンを低回転で使うようになっている背景もあり、大容量化がトレンドになっています。一方、車載スペースは限られるため、大容量かつ高効率なポンプ設計が求められていました。

「ここも経験への依存度が高い設計検討の領域であり、ベテラン設計者の経験をもとに、要求仕様を満たす設計パラメーターを設計検討ごとに調整し、判断していました。若い設計者には難易度が高く、人によってバラつきがある。設計パラメーターの探索範囲が限られるため、よりすぐれた最適解を見逃している可能性がある、などが課題です。

そこで、ベテラン設計者が行う、一連の設計検討をつないだ基本シミュレーションを実施して、要求仕様を満たす設計案を決定するプロセスの実現を目指しました。これが可能になれば、若手設計者を含む誰でもベテラン品質の基本設計ができ、大規模探索によって最適解も取り込めるようになります。取り組みとしては、ベテラン設計者へヒアリングを行い、設計手順や知見を可視化しました。
ベテランが行っている効率的な検討順序、それぞれの検討における手順を可視化していきますが、そのデータには、情報をどこから集めるのか、どの設計ツールを使うのか、どの設計パラメーターをどう調整するのかなど、経験豊富なベテランのノウハウ、コツも含まれます。これだけで、若手の設計者が参考にできる材料が劇的に増えました」（名倉氏）

次に、可視化したベテランの設計プロセスをもとに標準化を行い、パラメーターの統一を行います。属人的に判断していたパラメーターの依存関係、調整方法を整理することで、ベテランが2、3週間かけて行っていた基本設計プロセスが、誰でも30分でできるようになったといいます。大規模探索による最適設計にも活用でき、従来のプロセスではできなかった設計が可能になっています。

事例として挙げた「設計検討計画における技術・ノウハウのデジタル化」「ポンプ基本設計における技術・ノウハウのデジタル化」も、その基盤となっているのが、ベテランの設計者が暗黙知として持つ経験、ノウハウ、知恵、コツなどのデジタル技術による可視化です。それには、名倉氏が3つ目の事例としてあげた「改革プロジェクトに設計者を巻き込むまでの流れ」が大きく関わっています。プログレス・テクノロジーズのソリューション「ＰＴ ＤＢＳ」が、設計プロセス改革を加速させる要因となりました。

【ポンプ基本設計】プロセスの「ヨコのデジタル化」

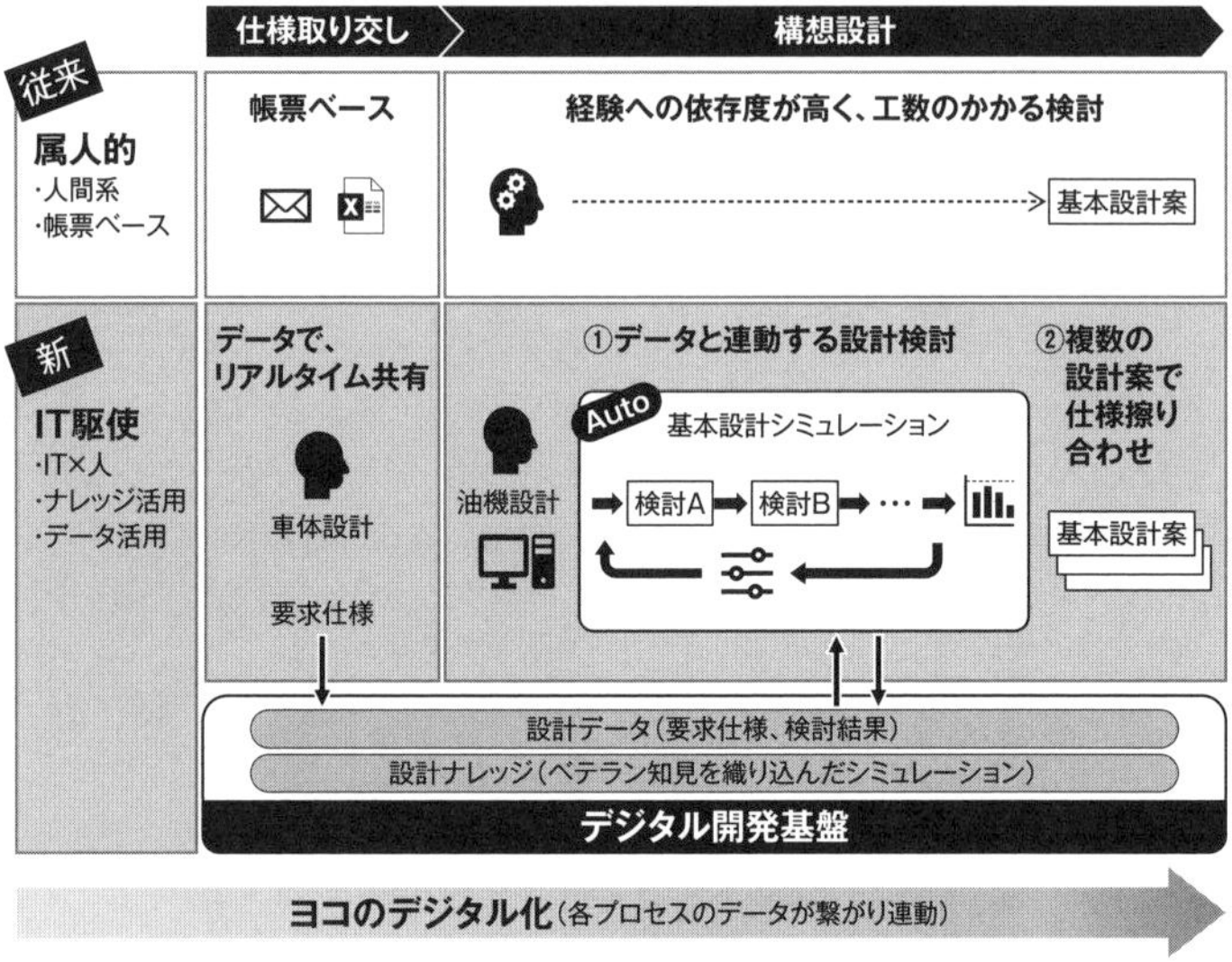

【課題】

1. 仕様擦り合わせ時、
具体的な設計案で議論できない
（経験ベースで擦り合わせている）

【ねらい】

1. 仕様の擦り合わせ状況に合わせて、具体的な設計案で議論
（仕様擦り合わせの高度化·高速化）

▼

全体最適な仕様を、タイムリーに決定できるコンポ自社開発ならではの、開発プロセスを構築中

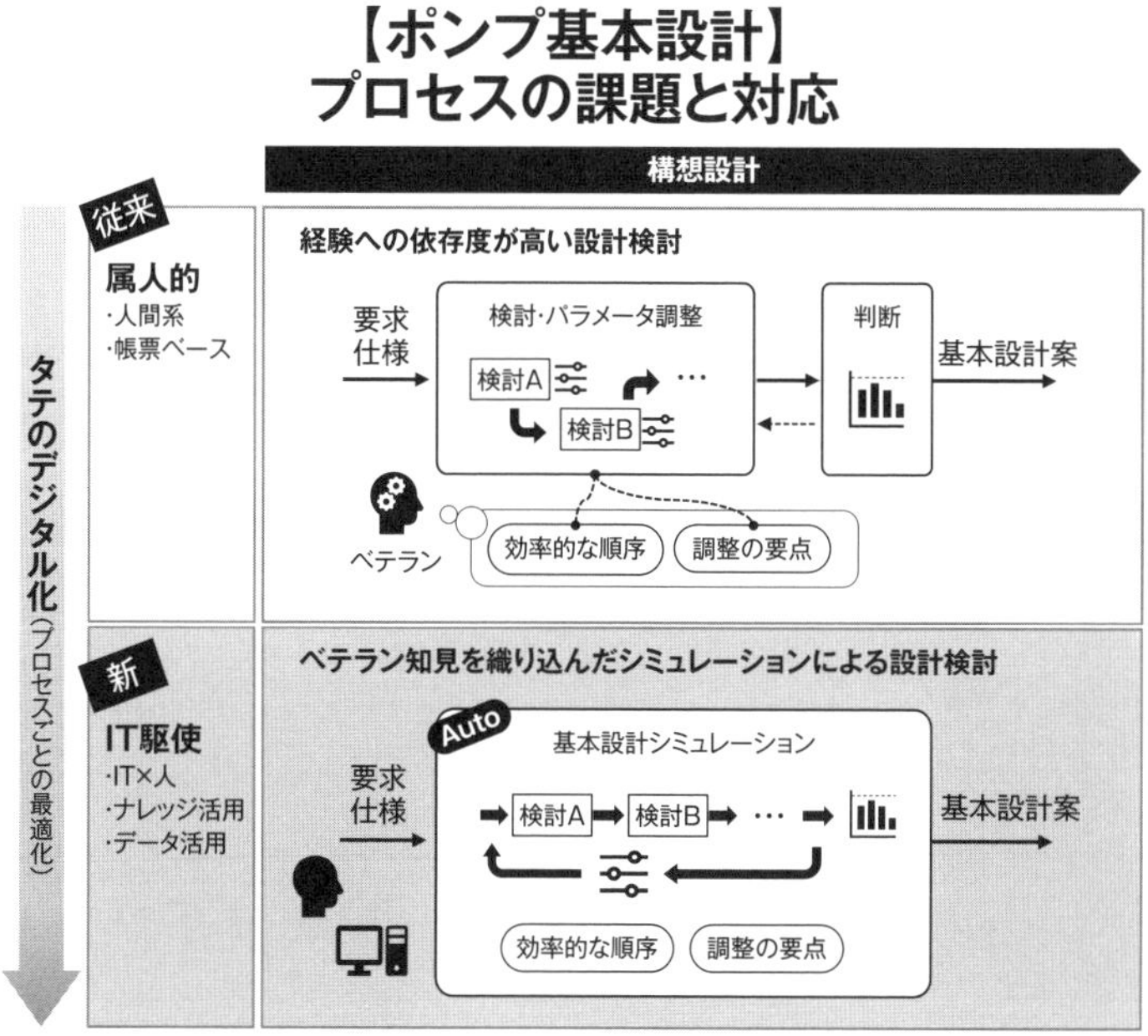

【課題】

1. 設計品質が人によりばらつく
（ヌケモレや間違い発生の恐れ）
2. 検討に必要な暗黙知が多く、
若手設計者には難易度が高い
3. 設計パラメータの探索範囲が
限られるため、さらに優れた設計案を
見逃している可能性がある

【ねらい】

1. 誰でもベテラン品質の基本設計
（設計品質安定化）

2. 大規模探索による最適設計
（設計品質高度化）

従来は、ベテランが実務で培った経験を使い、要求仕様を満たす設計パラメーターを調整して判断していた。タテのデジタル化で、ベテラン知見を織り込んだシミュレーションによる設計検討へ。また、帳票ベースでやりとりしていた要求仕様を、データで共有するヨコのデジタル化で、仕様すり合わせの高度化、高速化を可能にする。

まだ、誰も見たことのない世界を実現するために

具体的には、プログレス・テクノロジーズのコンサルタントが主導して、ベテラン設計者やグループマネージャとの地道なヒアリングを繰り返し、課題を深堀りした上で、解決の方向性をすり合わせ、基本方針を明確化。次に、若手設計者が感じている課題についても調査が行われました。これらの情報をまとめ上げ、試験的な環境を構築し、中堅以上の設計者がデジタル化された設計プロセスを体感する場を用意します。具体的なイメージをつかんでもらった上で、本格的な設計プロセス改革のための活動が展開されました。

「重要なのは、設計者が〝腹落ち〟して、設計課題を〝自分事〟化すること。そこに至るまで、プログレス・テクノロジーズの力を借り、地道なコミュニケーションを繰り返しました。その結果、設計者自身が改革マインドとなり、主体的で力強い活動に発展していったと思います。設計現場に寄り添い、伴走してくれたプログレス・テクノロジーズのコンサルタントの存在がなければ、社内だけではここまで力強い活動にはなっていなかったかもしれません」（名倉氏）

コマツの設計プロセス改革は進んでいますが、まだ道半ば。名倉氏は講演の最後に、今後の抱負を次のように語りました。

「人の頭の中にある車体設計、製造のノウハウをデジタル化し、それらを横につなげ、車体との全体最適を含む協調設計を実現したいと考えています。自動化で浮いた設計工数は、付加価値向上にシフトさせ、技術をさらに磨き、ナレッジへ反映させて開発力を強化していきたいですね。コマツが目指す開発プロセスは、車体開発部門、コンポーネント開発部門がそれぞれのデータ、ナレッジを共有し、プロセスを連動させること。開発のアウトプットとなる製品は工場で量産され、工場稼働データが蓄積されますし、市場に出れば車体稼働データが蓄積されます。施工データなど稼働現場のデータは、スマートコンストラクションというソリューションで蓄積されます。さまざまなフェーズで蓄積されたデータを開発プロセスに連動させ、次の開発プロセスに生かしていきたいと思います」（名倉氏）

プログレス・テクノロジーズがお手伝いするコマツの設計プロセス改革の先には、今まで誰も見たことのない光景が広がっていると確信しています。

2社の共創により、製造業の設計現場で起きるリアルな変化

パネルディスカッション

講演に続いて、コマツの名倉忍氏、コンサルタントとしてコマツの設計プロセス改革に携わっている、プログレス・テクノロジーズの長友一郎によるパネルディスカッションが開催されました。また、モデレーターとして、経営企画室長の小林正隆が加わっています。

名倉氏の講演は、コマツが取り組む設計プロセス改革、タテとヨコのデジタル化を中心に興味深い内容でした。プログレス・テクノロジーズは、現場に寄り添い、微力ながらコマツの取り組みを支援しています。ひょっとしたら、

「コマツほどの大企業なら内部で改革を完結できるのではないか」

「なぜ、外部の企業をパートナーとして利用したのか」

そんな疑問を持つ方がいるかもしれません。ディスカッションは、コマツから見たプログレス・テクノロジーズの印象から始まりました。

ここでその様子を再現します。

最初の面談で得た「あ、ここは違う」という感触

小林　講演にあった設計プロセス改革について、内部だけでなく、なぜ外部企業の支援を受けようと思われたのかをお聞かせください。

名倉　私自身、エンジニアとして設計の業務を担当していますが、正直なところ、ものすごく忙しく、現場の設計者は、目の前の課題に向き合うので精一杯という状況でした。時間に追われながら「どうしてこんなに忙しいのか？」と疑問に思うこともあり、何かを根本的に変える必要があると感じていた設計者も多いはずです。

でも、みんな疲弊しているし、課題を抽出して、設計の手法そのものを俯瞰する余裕は、物理的にも、また精神的にもない。漠然とした課題感はあっても、それに対して「自分たちではどうしたらいいのかわからない」という状況が続いていました。

小林　プログレス・テクノロジーズに声がけをしていただく前に、他のコンサルティング企業とも話をしていたそうですね。

名倉　そうです。が、何回か話してみたものの「ここと一緒にやろう」という手応えは感じられませんでした。そんな時、紹介してもらったのがプログレス・テクノロジーズです。長友さんとの最初の

面談から、「あ、ここは違う」という感触がありました。

小林　少し具体的に教えていただけますか？

名倉　最初に感じたのは言葉です。長友さん自身、設計の経験があり、同じ設計者として会話できたため、違和感がありませんでした。話しながら「こういう状況はありませんか？」と聞かれ、「そう、その通りです」となることが多く、「この人はわかっている」と。

驚いたのは、会社の事業概要などはもちろんですが、弊社の特許をかなり調べた上で、膨大な技術の内容をだいたい理解されていたんですね。言葉も、コマツの設計者が現場で使う単語が最初から含まれていたので、自然に「一緒にやりたい」と思えるようになっていました。

100年を超える歴史、有形無形の資産を前に

長友　ありがとうございます。弊社のコンサルティングサービスは、徹底的に設計現場に寄り添うところから始まるため、クライアントから「話すに足る相手だ」と認識していただき、そこから信頼関係を築いていくようにしています。設計の現場で起きている課題に対する理解はもちろん、技術の話ができ、最新の手法やツールについての知見も持つのは最低条件です。特許の話がありましたが、先方の企業の技術について事前の調査を徹底しておくのは、信頼関係を築く第一歩という認識です。

小林　プログレス・テクノロジーズの視点で、最初に接点があった頃の、コマツの状況はどう映っていたのでしょうか。

長友　いろいろな会社の設計現場で苦労話を聞いてきました。コマツの場合は、課題を抱えながら、諦めずに自社で取り組んでいるところが印象的でした。創立１００年を超える会社には、有形無形の資産、ノウハウが山のようにあります。それは貴重な資産であると同時に、アナログなまま積み上げられているものも多いため、利活用が大変でもあります。

設計のやり方、試験の結果、どこに苦労したかなどの経験、知見を含め、膨大な量になっているところには驚きました。それでも諦めずに、自社で設計検討計画（ＦＭＥＡ）を見直しながら、フロントローディングを進めているところは素晴らしいと思いました。もう一つ、何かきっかけがあれば、設計プロセス改革は一気に進む。そこに弊社のＰＴ ＤＢＳがはまるのではないか、という予感もありました。

名倉　確かに、データは膨大に残されているものの、それを生かし切れていないところが大きな課題でした。設計標準、帳票は積み上げられていく一方で、設計にすぐ反映できるのはベテラン設計者だけ。デジタル化されていないと、そうした情報をその都度、人の手で扱うにしても限界があります。

小林　１００年という歴史、残して来た資産があるからこそ、解決すべき課題も多かったのだと推察します。今回の設計プロセス改革で、最も苦労したのはどういう点でしょうか。

プライドの高い設計者にどう腹落ちさせるか

名倉　講演の最後にお話しましたが、設計の現場をどう巻き込むかが大変で、プログレス・テクノロジーズの力がなければ実現していなかったと思います。単に過去の書類をデジタル化すれば済む話ではなく、一人ひとりの設計者が当事者意識を持ち、マインドが変わらないと改革は進みません。ただシステムをつくり、「ここに情報を入れてください」とやっても、ほぼやってくれないのが現実です。

設計者の多くは職人気質で、プライドも高いため「なぜこれをやらなければいけないのか」が腹落ちしなければ、設計そのものを変える、文化を変えるような取り組みには、なかなか参加してくれないものです。設計者との関係づくり、情報の抽出は、長友さんが最も苦労したところでもあると思います。

小林　設計プロセス改革の一環として、プログレス・テクノロジーズは、若手はもちろんベテランの設計者にもヒアリングを積み重ねます。ただ、ヒアリングと言うのは簡単ですが、話を引き出すのは難しい。ベテランは部外者に壁をつくるかもしれないし、説明がうまくできる人がいれば、できない人もいるでしょう。ヒアリングを行い、暗黙知を可視化する過程で、どんな工夫をしていたのでしょうか。

長友　ヒアリングという言葉の定義そのものが、弊社のコンサルティングサービスは特殊かもしれません。一般的には「傾聴」をイメージするとしても、ただ聞くだけではうまくいきません。自分たちのこと、設計のことがわからない相手に、ベテラン設計者は心を開かないし、ホンネでは語ってくれないからです。我々が行うヒアリングは、双方の意識を合わせることであり、そこから新しい気づきが生まれる「セッション」といえます。

ある製品の設計についで話をするにしても、今、行われているやり方を理解した上で「こういうやり方はありませんか」「こういう風に変えたら効率がよくなりませんか」など、具体的な提示が必要です。目線の高さ、方向を合わせていけば、ベテランの設計者でも「そういう考えもあるのか」となるでしょう。そのまま新しい手法を取り入れた結果をイメージしてもらうと、「なるほど」と腹落ちして、自分事化してもらう可能性が高まります。

小林　かなり時間をかけたセッションになりそうですね。

長友　ここがPT DBSのキモになる部分なので、時間はかかります。当然、こちらの話にすべての人が賛同してくれるわけではなく、ダメ出しをされることもあります。それはこちらにとっての新たな気づき。詳しく話をうかがい、相手から「そうじゃなく、こういう考え方をしたらどうか」と提案があれば、その時点で双方に気づきが生まれているわけです。

信頼関係を築くための「セッション」とは？

小林　エンジニアリング、コンサルティングの会社で、最初の段階でここまで突っ込んで話を聞く、セッションを行うところはあまりないでしょうね。

長友　だと思います。このセッション、ヒアリングと言ってもいいですが、ヒアリングの過程はマネタイズにつながりにくく、他の会社はやりたがらないでしょう。そこに時間をかけるよりも、相手が思う課題感を聞き、それに合わせたツールを導入したほうが手離れはいいし、マネタイズも簡単です。でも、それだと根本的な課題解決には至りません。ベテラン設計者を含め、設計に携わるすべての人が、設計プロセス改革を自分事化することで、課題解決につながる。それには、セッションを通じて意識を合わせ、ホンネで語っていただく必要があります。

名倉　長友さんのやり方は、一般的なコンサルタントとは違いました。コンサルタントは、最初から自分たちで答えを用意しておき、そこに現場の課題をはめこむようなイメージがありますが、御社の場合、セッションしながら少しずつ相手の内側に入り、意識を合わせていき、気がつくと一緒に改革に取り組んでいた。そんな関係づくりが印象的でした。

小林　そうした取り組みが、最初の信頼関係の構築につながる、と。

長友　答えを持っているのも、見つけるのも我々ではなく、現場の設計者であるべきだと思います。セッションの回数を重ね、深度を深めていくと、ある時点で「こうすればいいんじゃないか」と、設計者が気づく。そして、ずっと伴走している我々との間に信頼関係が生まれる。これが理想だと思います。

自走できるようなサポートに変えていきたい

小林　現在、進めている設計プロセス改革の現時点での成果。今後への期待を、最後にお聞かせください。

名倉　全体として、設計工数がこれだけ減った、という数字は出ていませんが、無駄や非効率の原因がどこにあるのか、少しずつわかってきました。資料を探したり、ベテラン設計者に意見を聞いたり、そういう時間が意外に長く、デジタル化によって暗黙知が共有知に変わることで、正体不明の忙しさや、未来に対する不安はやわらいでいると思います。

それに、リタイヤ間際のベテラン社員の経験、ノウハウを残し、技術を承継する仕組みもできています。社内でアンケートを実施すると、モチベーションが上がっているのは確認できるし、若い人も働きやすくなっているようです。組織全体が良い方向に向かっているのは間違いなく、今後も引き続き、設計プロセス改革に取り組んでいくつもりです。

最終的に目指すのは、部門横断型の設計ＤＸの実現になります。それをスマートコンストラクションなどのサービスを通して得られるデータと、ヨコのデジタル化でつなぎたい。コマツならではの設計プロセスにより、社会やお客様の期待に応える製品を、継続的に開発できる体制をつくっていきたいと思います。

小林　プログレス・テクノロジーズ側はどうでしょうか。

長友　二人三脚で取り組ませていただき、大きな刺激を受けると同時に、貴重な経験をさせていただいています。今後ですが、コンサルタントがずっと存在するのは、改革を進めるには健全ではないとも考えています。ある時点から、コマツ社内でマインドチェンジしながら、改革を自走するのが理想です。

今は寄り添って伴走していますが、ツールを提供して自走してもらう方向へ、関係も変わっていかなくてはいけない。伴走のフェーズを終えたら、自走できるようサポートの仕方も検討していきたいと思います。

また、コマツとの取り組みから得た経験、ノウハウはとても貴重なもので、暗黙知ではなく共有知に落とし込みながら、コンサルティングサービスを進化させていくつもりです。

第五章　共創の時代、ワクワクする「モノ＆コト」づくりで未来を切り拓く

究極のバーチャルエンジニアリングで描く製造業の未来とビッグピクチャー

日本の製造業が置かれている現状と課題。そこに対して、プログレス・テクノロジーズはどんな思想を持ち、どんな価値を提供していけるのか。前章までで、私たちの思いをまとめてきました。本書はあと1つの章を残すのみですが、記してきたことがすべてではありません。技術に賭ける私たちの思い、取り組んで来た事例の、ほんの一部であり、挑戦はこれからも続きます。課題を解決するためにもがき続ける。同時に、モノづくりにワクワクし続ける。そんな意思表示が1人でも多くの方に伝われば幸いです。

本書の最終章では、「これから」の話をしたいと思いますが、ホームページにも掲載している私たちのブランドステートメントに、こんな文章があります。

私たちは挑み続ける。
ただのものづくりで終わらないために。
徹底的に鍛え抜いた技術で、世界がまだ知らない世界をつくれ。
ものづくりの未来をつくれ。

誰よりも熱く、しぶとく、ワクワクしながら。

風通しは良く。あきらめは悪く。

無謀だと笑う声には、希望だと切り返す。

それが、私たちのものづくりだ。

さぁ、つぎの一歩で、世界をどうする？


191ページに全文を掲載しますので興味のある方はお読みください。

そんな私たちの「これから」について、技術、ビジョンの2つの側面から述べたいと思います。

プログレス・テクノロジーズの強みは、ここまで繰り返しふれてきたように、モノづくりの上流工程であるエンジニアリングチェーンにあります。設計手段にバーチャルエンジニアリングを取り入れることで、製造業の現場は大きく変わります。例えば、パソコンのマウス。いくつか比較してみると、機能はほぼ変わらないのに、素材も形状も、クリックした時の感触や操作感にも、微妙な違いがあることに気づくはずです。

設計段階で、エンジニアは要件にもとづいて素材、強度、形状を決めていきます。握った時、クリックした時の感触はもちろん、センサーによってポインターの動きも変わるため、小さくシンプルなツールでも、検討項目はかなりの数になります。

もっと軽量化したい、強度を高めたいという要件があった場合、以前は複数の素材で検討して、試作品をつくり、強度や操作感を確認していました。しかし、バーチャルエンジニアリングなら、デジタルのシミュレーションで繰り返し検討できます。仮に、月面での使用を前提にしたマウスであっても、３Ｄモデルをつくり、シミュレーションを繰り返しながら、試作品がなくても有効性を確認できるのです。

バーチャルエンジニアリングは、今後、日本の製造業の現場にもどんどん採用されていくでしょう。海外の動向を見ても、これは必然ですが、私たちが目指すのはその先、ひと言でいうなら「究極のバーチャルエンジニアリング」です。

変化を加速させる「バーチャル空間でのシステムズエンジニアリング」

本書の冒頭でふれましたが、多様化・複雑化するマーケットで存在感を示し続けるには、ニーズの移り変わりを敏感に嗅ぎ取りながら、それに応える製品やサービスを、可能な限り短いリードタイムで提供しなければいけません。短い開発期間で、技術の絞り込みをしなければいけないし、安全性や汎用性など、検討しなければいけない項目は増えています。以前のように試作品をつくり、検証して、微調整しながらクオリティを高めるというやり方では、マーケットの変化から取り残されてしまうでしょう。

　バーチャルエンジニアリングによって、開発リードタイムは間違いなく短縮できます。それだけでなく、パラメーターを調整することで、アナログでは10通りしかできなかった検証やテストが、１００通り、１０００通り、自動化すれば1万通りも可能です。アナログではできなかった条件設定もでき、リードタイムを短縮しながら、完成時の品質も高められるのですから、「バーチャルエンジニアリングが製造業ＤＸの要諦」なのは間違いありません。

　そのバーチャルエンジニアリングを「究極」まで高める。それが、私たちが描く未来には欠かせないもので、カギを握る技術が「バーチャル空間でのシステムズエンジニアリング」です。バーチャル空間技術は現実世界と仮想世界を融合し、現実には存在しないものを知覚できる技術の総称で、ＶＲ（仮想現実）、ＡＲ（拡張現実）、ＭＲ（複合現実）などの技術もここに含まれます。

　現在も、パソコンのモニター上にデジタルツインをつくることはできますが、これをバーチャル空間に置きます。設計者はバーチャルエンジニアリングにおけるシーンを表現するバーチャル空間に入り込み、その製品の機能・性能を体験します。この３Ｄモデルは部品等の情報と紐づけられているため、現実には存在しないものの、バーチャル空間には存在し、リアルに手を動かす感覚で仕様・振る舞いを調整できます。

完成したものをリアルな世界にコピーアウトすると、実機となって製造される。そんなイメージを持つとわかりやすいかもしれません。

日本の強みを生かした製造業のＤＸをこうして生み出す

バーチャル空間でのシステムズエンジニアリング技術を応用し、バーチャルな世界に３Ｄのデジタルツインモデルを置くことで、何がどう変わるのでしょうか。

このモデルはバーチャル空間にあるため、時間や空間の制約を受けません。ソフトウエアと専用のデバイスがあり、ネットワークに接続できれば、国内の設計担当者と、海外工場の現場責任者が、３Ｄのデジタルツインモデルを使って議論、意見の交換ができるでしょう。目の前に実機がある感覚で、表面の質感を確認したり、部品の配置を検討したりできるし、話しながら実際につくり変えたりもできます。システムズエンジニアリングで検討した機能やロジックを、要件とのトレーサビリティと共に検証することもできます。

製造現場の力が日本の製造業の強みであり、設計と検証、製造現場の「すり合わせ」によって、妥協のない品質を生み出した、と記しました。現在、そのやり方はリードタイムが削減できない要因になっているのですが、バーチャル空間技術と３Ｄのデジタルツインモデルによって、「すり合わせ」

の頻度、精度を高められます。工場をバーチャルファクトリー化すれば、「すり合わせ」の結果をそのまま製造ラインに反映させるのも可能になるでしょう。

日本の強みを生かした製造業のＤＸ、その具体的なカタチの一つが、ここにあるのではないでしょうか。まだ可能性の段階ですが、これからも挑戦を続け、新しい世界のトビラを開いていきたいと思っています。

競争ではなく「共創」で、世界と戦える力を磨く時代

もう少し視座を上げて、会社として向かう未来像、ビッグピクチャーについてもまとめておきます。製造業のこれからを読み解くキーワードとして、強調したいのが「共創」です。

蒸気機関の発明がきっかけとなった第一次産業革命から、デジタルテクノロジーが起爆剤となった第三次産業革命まで、技術とともに製造業は進化を続けてきましたが、推進力となったのがメーカー同士の競争でした。

他社より少しでもすぐれたもの、新しいものをつくり出そうと、メーカーが技術革新に取り組んできたからこそ、日本の製造業は世界を席巻するまでの成長を遂げたのです。ライバルとの切磋琢磨によって自分が磨かれると、ライバルもまた触発され、成長する。そんな好循環が生まれていたと思い

ます。

しかし今、世界で進む第四次産業革命の波に乗り、引き続き存在感を示していくには、メーカー単体での取り組みでは限界があります。マーケットのニーズは、一社で積み上げてきた技術の延長線上にはなく、そこに至るには、まったく別の視点、考え方の違うアプローチが必要となるからです。

これからの時代、日本の製造業が世界と戦っていくために必要なのは、メーカー間の競争ではなく、「共創」だと私たちは考えます。基礎研究、開発、製造、販売、アフターサービスまで、一社ですべてを行うのではなく、得意な領域を持つ他社と分担するのです。

人材にしても、すべて自社で育成するのではなく、スキルと経験を持つ「人財」は外部に協力をお願いすればいい。メーカーとメーカーでも、共創することで、それぞれの強みが最も生かせるモノづくりを行えば、アウトプットの質が高められるでしょう。

ワクワクするモノづくりの部分で共感し、実際のプロセスでは共創する。ある種のエコシステムを構築できれば、日本の製造業の未来は一気に開けるのではないでしょうか。そのために必要なのが、エンジニアリングに精通し、ＩＴ、ＩｏＴ、ＡＩなどのデジタルテクノロジーの理解があり、開発全体のプロセスを把握できる人。そういう人が間に入り、つなぐことで、企業の垣根を超えた共創が可能になるはずです。

大企業は、安定性やスケーラビリティに強みを持っていますが、フレキシビリティ、スピードの点では不足しています。そんな背景もあり、大手企業と新興のベンチャー、スタートアップが、オープンイノベーションで共創しようという動きが増えています。ところが、あまりうまくいっていないのが現状のように感じます。

日本の製造業を変える、イノベーションハブという立ち位置

大手企業からの働きかけで始まるものの、言葉では「同じ目線で」と言いながら、どうしても下請けに発注、という意識が抜けないケースも見られます。ベンチャー、スタートアップ側は当初は成長のチャンスと捉えていたものの、大手企業側の目線にズレを感じたら、「下請けになったつもりはない」となりがちです。

つまり「会話」が成り立ちにくいのです。大手企業には、長年培ってきた技術、社内の文化、そしてプライドがあります。ただ、ベンチャーやスタートアップは、既存の価値観とは別の軸、世界観でものごとを考えているため、うまくコミュニケーションできなくても不思議はありません。この溝を埋めなければ共創は成り立たないでしょう。

プログレス・テクノロジーズはベンチャー企業として出発し、唯一無二の存在になりたいと思い、

創業の理念を高く掲げて今日までやってきました。もちろん、大手製造業の設計開発に特化したサービスを提供することで、大手企業の思考もわかります。つまり、両方の言葉を理解し使うことができるため、間に立って「通訳」できるのです。大手とベンチャー、スタートアップだけでなく、大手と大手、また海外の会社がそこに加わっても、私たちは技術という共通言語でコミュニケーションが可能です。

イノベーションハブ、インテグレーションハブとして機能し、複数の企業を結びつける役割を果たす。さまざまな垣根、慣習の縛りから解き放つことで見えてくる、共創の時代の到来。プログレス・テクノロジーズは、その旗を高く掲げる存在でありたいと思っています。当然、私たち自身もアップデートが必要であり、大学の研究室、他社など、さまざまなパートナーと共創していかなければなりません。

メーカーにやりたいことがあれば、私たちのコンサルティング、ソリューションで支援するだけでなく、日本中、いえ、世界中のベンチャー、スタートアップ、大学の研究室などとチームを組成して、共創の場をつくる。そこから、世界がアッと驚くような新しい価値が生まれる。そんなワクワクする未来を切り拓きたいと思います。

ブランドロゴに込めた、創業時から続く思い

新しい製品を開発するとき、従来の技術の延長線上ではなく、技術そのものを創造しなければいけないことがあります。自社の技術に、クラウドであったり、ＡＩであったり、専門外の要素を加える必要があり、そこに苦労する企業が多いようです。

協力してくれる企業が見あたらない。見つかっても、なかなかうまくコミュニケーションがとれないという声を聞きます。

そのような場合、私たちが間に入り、企業、大学、研究機関をつなぐハブとなり、さまざまな技術をとりまとめる。すべての人たちがワクワクしながらプロジェクトに携わり、ゴールを目指す。そんな事例を増やしていきたいと思います。

プログレス・テクノロジーズのブランドロゴは、そんな、私たちの思いを形にしたものです。

橙色《だいだい》（１６９ページの図では黒い部分）は、もともとひとつの長方形で、そこを部分的に白い線で塗ることで、新しい形をつくっています。もとの長方形は、長年にわたる技術の積み重ねにより、均整は取れているものの、その反面変化が少なく、なかなか変わることのできない日本の製造業の姿

を表しています。

一方、白の線が表しているのは、新しい思考や技術を使い、固まった現状を塗り替え、新しい形をつくる様子です。白の部分に注目すると、プログレス・テクノロジーズの頭文字、「Ｐ」と「Ｔ」をモチーフにデザインされていることがわかります。

これまでの伝統や経験、先人が積み上げてきたものをすべて否定し、壊すのではなく、良いものは継承し、変えるべきものは塗り替え、誰も見たことのない、新しいものをつくり上げる姿勢を表現するロゴとなっています。また、白だけでは成立せず、橙（１６９ページの図では黒）の部分と融合している形は、顧客企業との共存・共創を表現しています。

ロゴのデザインの黄金比は、私たちの高い技術力を示し、１００年先の未来でも愛される存在でありたい、という思いが込められています。


そんな存在になるために、これからの私たちに必要なのは「人の力」です。コンサルティング、プロジェクト、ソリューション、エンジニアリング、そしてＲ＆Ｄ。提供しているサービスはどれも高い技術力が背景にありますが、その技術で新しいものを生み出すのは、これまでも、これからも人であることに変わりはありません。

高度化しながら技術が標準化していけば、「人の力」が差別化の源泉になります。

PROGRESS
TECHNOLOGIES

プログレス・テクノロジーズのロゴは、安定しているが変化の少ない製造業で、技術と情熱で変化を生み出したいという思いがデザインされている。本社はオフィスというよりも「ラボ」といった雰囲気で、手を動かしてモノづくりを行う環境が整えられている。エンジニアに、子どもの頃に感じた「ワクワク感」を忘れてほしくない、という意思が感じられる。

採用、育成、キャリア支援の充実が、会社が持続的に成長するためには欠かせないのです。

市場価値を高めて夢をつかむエンジニアファーストという考え方

私たちは「エンジニアリング・プロフェッショナルファーム」を掲げていますが、働く人の目線で言うと、製造業にサービスを提供するコンサルティングファーム、エンジニアリング会社との違いはどこにあるのでしょうか。ポイントは以下の5つです。

・現場はモノづくりの上流工程

製品開発のプロセスにはさまざまな職種がありますが、設計開発と呼ばれる領域は、大手メーカーのエンジニアでも約1割しか従事できない限られた世界です。私たちはその領域に特化してサービスを提供し、エンジニアのキャリアを築いています。

・参加できるプロジェクトは多彩

エンジニアとして、さまざまな分野でスキル、知識を身につけたいと思っても、1社での経験には限界があります。私たちはさまざまなプロジェクトに携わっているため、幅広くスキル、知識を身につけられます。

・明確なキャリアパス

エンジニアに自分の将来像を質問すると、「人に自分の持っているスキルを教えたい」「チームのリード、マネジメントがしたい」「自分自身の技術力を極めたい」、この3つに大別されます。私たちはこの3つのキャリアパスをすべて用意しています。

・市場価値を高められる

企業に守ってもらうのではなく、自分のキャリアは、自分でつくる時代へと変わりました。プロジェクトの現場で経験を積むことで、エンジニアとしての市場価値を高められます。

・日本の製造業の未来を切り拓く

多様化、複雑化する現代、変化のスピードは日ごとに加速し、日本の製造業にも変化が求められています。しかし、本書でも指摘してきましたが、その技術革新に対応しきれていないのが現状です。私たちは、高い技術力と人間力を持つエンジニア集団として、製造業を取り巻くさまざまな困難や課題を解決し、改革を支援しています。そうすることで、モノづくりの現場から日本を再び元気にしていく。その現場に立ち合えます。

チャレンジできる人、ワクワク感を知っている人を求む

続いて求めたい人材像ですが、ひと言でいえば「チャレンジを楽しめる人」です。プログレス・テクノロジーズには、製造業の現場にイノベーションを起こすというビジョンがあります。それは、まだ誰も見ていないこと、知らないこと、未知の領域へ挑むことであり、順風満帆にはいかない状況もあるでしょう。

そうなっても一歩踏み出すことを恐れない。勇気を持って踏み出し、未知への不安よりも、未来を切り拓くワクワク感を追究できる人なら、ベンチャーマインドを歓迎する私たちの職場に馴染みやすいと思います。

また、エンジニアには「一匹狼」的なイメージがあるかもしれませんが、プロジェクトはチームで推進するものであり、チームの一員として考え、行動できるかも重要です。どうすればチームとしてのパフォーマンスを最大化できるか。これが、プロジェクトを成功させるには絶対に必要な視点だからです。

具体的なスキル、知識ですが、新卒採用に関しては細かく決めていません。面接で重視しているのは、大学、大学院での学びを、どれだけ突き詰めているか。プログラムでも、製図でも、電気回路で

も、ジャンルは何でもいい。何か1つの領域をとことん突き詰め、深掘りする探究心、バイタリティは、エンジニアとして働く際の原動力であり、差別化にもつながるからです。

理想は、その探究に「ワクワク感」が伴っていること。時間が経つのも忘れて、好きなことに没頭すると、努力や苦労よりもワクワク感が先に来るはずです。その感覚を知っていれば、私たちの事業への理解、共感も深まるでしょう。

中途採用に関しては経験値で判断しますが、「スキルの深度」を重視します。今、この瞬間の課題に全力でぶつかり、成果を積み重ねることでキャリアが形成されます。積み重ねた成果がスキルであり、年齢にふさわしい深度のスキルを持っているかで、その人がどう仕事に向き合ってきたかがわかります。どれだけ長く働いていても、スキルの深度が浅い人は魅力的に映らないし、若くてもスキルを積み重ねている人には好感を持ちます。

入社後は、人間力（ヒューマンスキル）と技術力（テクニカルスキル）をバランスよく学びながら、エンジニアとして成長していきます。個人の技術力はもちろん、「個の力が集結し、チームとして機能しているか」が、モノづくりで成果を上げるには重要です。

高い技術力を持ったエンジニアが集まり、お互いに強みを発揮し、弱みを補完する。こんな理想のチームをつくるには、それぞれが「相手の気持ちを理解し、自発的に行動」しなければいけません。

技術力とともに、人間力を磨く重要さを強調するのは、こうした理由からです。

ひと味違った研修制度で各人のキャリアパスを成功に導く

技術力、人間力を磨くための研修制度も充実させています。プログレス・テクノロジーズの人事関連の制度はすべてオリジナル。社内で考え、制度化しました。外部のコンサルタントに依頼する会社もありますが、「現場に即した制度設計のためには、エンジニアをよく理解している必要がある。それができるのは自分たちしかいない」。これが私たちの考えです。

新入社員研修は、設計の現場で働くための実践的なカリキュラムになります。最初に学ぶのはヒューマンスキルに関するもので、ビジネスマナー、コミュニケーション、ロジカルシンキングなど、ビジネスの基盤となる人間力を養います。その後、メカ、エンベデッド、IT、それぞれの基礎技術、実践的な応用技術を学びますが、単なる座学ではなく、グループワークを多用して「体感」できる内容になっているのが特徴です。

等級制度を設け、1〜2等級はヒューマンスキルに加えて、じっくりと技術を学んでもらい、技術に関する目標を立て、その達成度で評価します。3等級以上になるとプロジェクトでの成果を評価に反映する制度となっています。

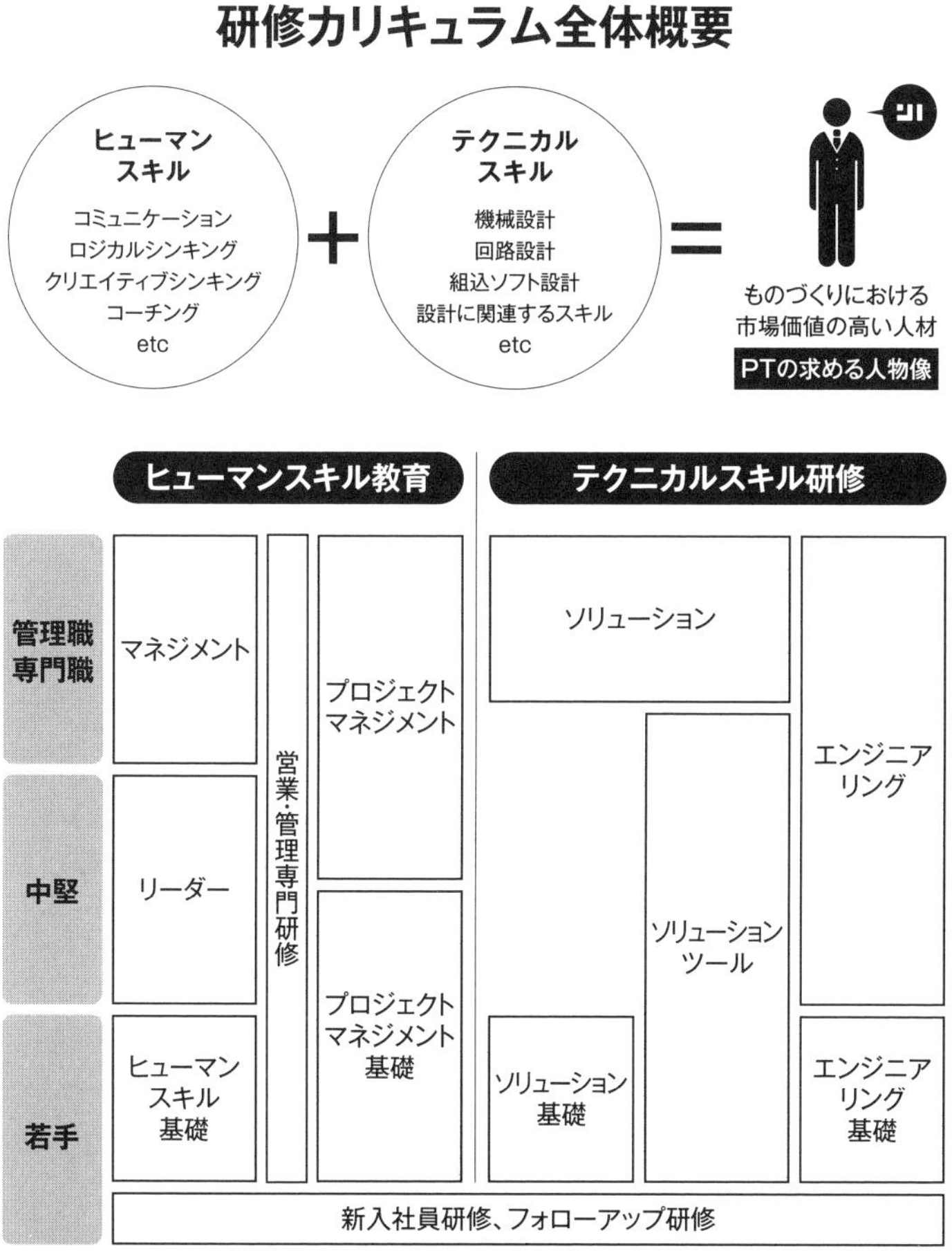

市場価値の高いエンジニアとなるには、ヒューマンスキルとテクニカルスキルを兼ね備えなければいけない、というのが人材育成に対する基本的な考え。新入社員向けから、中堅、管理職・専門職向けまで、ヒューマンスキル研修、テクニカルスキル研修が用意されている。

ヒューマンスキルの場合、基礎的な新入社員研修に続いて学ぶのが、プロジェクトマネジメントです。個々の市場価値を高めるのが目的で、ＰＭＰ（Ｐｒｏｊｅｃｔ Ｍａｎａｇｅｍｅｎｔ Ｐｒｏｆｅｓｓｉｏｎａｌ＝プロジェクトマネジメントの専門家であることを証明する資格）の試験を毎年行っています。

業務に必要というだけでなく、キャリアプラン実現に向けた研修も含め、エンジニアのスキル向上のための教育カリキュラムを多く用意しています。週末の時間をスキルアップにあてたいエンジニアのため、Ｗｅｂで、時間や場所にとらわれずに受講できる環境を用意しています。

各教育研修はＷｅｂ教育管理システムを使い、申し込みから受講記録まで管理できるようになっています。具体的な機能は「各講座の予約、申込み」「ビデオ講座（動画、ｅラーニング）の受講・教育」「受講履歴の確認」「学びに関する情報交換」など。

研修の内容を充実させながらＷｅｂ教育管理システムを導入することで、将来的には個々にカスタマイズされた教育プランを提示できるようにしたいと考えています。その教育プランのカギになるのがロールモデル。さまざまなキャリアパスを通じ、やりたいことを実現しているエンジニアをモデルにして、自分は何を目指すのか。そこに至るにはどこから始め、どんなプロセスを踏めばいいのか。それぞれが考え、具体的な教育プランに落とし込めるような仕組みをつくっていくことを予定しています。

日々の仕事に追われていると、なかなか、この先のキャリアパスを落ち着いて考えられないものですが、ロールモデルを用意することで、イメージしやすくなるでしょう。将来の自分の姿を想像できれば、ワクワクするはず。そんな教育プランがあれば、仕事への向き合い方も変わるでしょうし、自分の市場価値を高めることにもつながるでしょう。

思いとスキル、経験値が実現するエンジニアたちのキャリアパス

具体的なキャリアパスについてもまとめておきましょう。

入社後は、大手メーカーの製品開発の上流工程にアサインされ、エンジニアとして歩み始めます。技術提供を行いながら、業界経験や設計開発のプロセスを学び、経験を積んでいきます。設計の技術力を磨くと同時に、実務の場で社会人としての人間力も研き、設計開発のプロフェッショナルへの道が拓けます。

次のフェーズでは、大手メーカーとのプロジェクトで培った技術力、人間力を生かしてステップアップし、技術提供だけでなく価値提供を行う存在となります。ここが重要なポイントで、一般的なエンジニアリング会社の場合、あくまでも技術者としてのキャリアパスしか用意されていませんが、プ

ログレス・テクノロジーズでは、価値提供ができる、つまり市場価値の高いエンジニアへと成長できるようサポートしていきます。

具体的な職種としては、以下のようなものがあります。

・設計スペシャリスト
エンジニアとして製品開発技術を極める道です。さまざまなプロジェクトを通して、得意とするスキルを伸ばし、エンジニアとしての市場価値を高めていきます。

・プロジェクトマネージャー
大手メーカーの製品開発を、チームとして引き受けるプロジェクトマネージャーを目指す道です。自分自身で設計開発を行うのはもちろん、チーム内外のスケジュールの調整、メンバーの育成、個々の特性に合わせたケアなども行います。

・ソリューションスペシャリスト
大手メーカーの開発現場が抱える課題に対して、最先端のデジタルツールの導入から定着までを支援するエンジニアを目指します。さまざまなソリューションをクライアント企業の課題を見ながら組み合わせ、設計開発業務のデジタル化を推進します。

・コンサルタント

クライアントの設計現場のやり方そのものを、一緒になって考え、改革していくエンジニアの道です。私たちの強みである独自メソッド、ＰＴＤＢＳを活用しながら、熟練設計者の頭の中にあるスキル、ノウハウを可視化し、データ化・システム化。製造業の大きな課題である技術伝承などを解決していきます。

エンジニアファーストで、誰も取り残さないサポートを徹底

入社後は、まずエンジニアリング部門に所属して設計を学び、その先のキャリアパス選択では本人の志向を優先します。実務を経験し、そこから得られる課題、気づきは人それぞれです。技術を極めたいという人がいれば、ゼロからのモノづくりのプロジェクトに携わりたいと考える人もいます。設計のプロセスが非効率であることに疑問を持ったときに、ソリューションで解決したいと思う人、プロセスそのものを変革したいと思う人がいます。

本人の志向を優先しながら、経験豊富な技術グループ長、チームリーダーと話し合いの場を持ち、目指すキャリアプランを具体化。そして、そのキャリアプランに向けて、実際の業務と社内研修、自己啓発でスキルアップしていきます。エンジニアの誰もが思い描くキャリアを、それぞれに適したプランに落とし込んでいくというわけです。

私たちは製品開発の上流工程に特化したサービスを提供することで、エンジニアの市場価値を高めることを重視しています。その結果、前述したようなキャリアパスの選択が可能になり、それが特徴、強みです。ワンストップでサービスを提供できる体制が整っているからこそ実現するのです。

私たちの「人づくり」に関する考えを象徴するのが「エンジニアファースト」。これは創業当時から掲げていたもので、今も、これからも真ん中にあり続けます。

入社し、エンジニアとしてプロジェクトに入ると、多くはクライアント企業の現場で働くことになります。プログレス・テクノロジーズの社員でありながら、職場が社外。この世界ではあたり前のことですが、会社がどんなに立派な理念を掲げていても、それぞれの現場のエンジニアが実感していなければ、意味がありません。

プログレス・テクノロジーズには、一人ひとりのエンジニアに担当として付くセクレタリーチームがあります。2か月に一度、仕事先の現場を訪問して、セクレタリーから会社の重要な情報を伝えたり、エンジニアから直接、話を聞きます。何も問題なければいいのですが、中には悩んでいたり、ストレスを感じていたり、一人で抱え込んでしまうエンジニアもいます。

話を聞き出し、問題があると判断した場合、セクレタリーチームから当社の営業部へ相談し、クライアント企業に問題の解決、待遇の改善を進言してもらいます。例えば、時間外労働が続いているようなら、状況を正しく把握した上で、先方と話して業務調整などをお願いする。エンジニアを1人で現場に放り出すようなことも、クライアント企業にまかせることもせず、私たちの手でエンジニアをフォローする体制を整えているのです。

一人ひとりが「市場価値を高める」を意識する時代

エンジニアリング関係の会社で、こうした取り組みを徹底している例は、他に聞いたことがありません。クライアント企業からは「よくここまでやりますね」と驚かれますが、エンジニアが気持ちよく、ワクワクしながら働き、最大のパフォーマンスを発揮することで、先方にもメリットがあると確信しています。

日本型雇用と言われた年功序列、終身雇用が形骸化している現在、以前のように「大手企業に入れば安心」という時代ではありません。一人ひとりが、どんな力を身につけるべきかを考え、自分のキャリアをデザインしなければいけないのです。エンジニアのような技術職は特に顕著で、開発現場から必要とされる「市場価値の高いエンジニア」でなければ、理想とするようなキャリアを構築するのは難しくなります。

エンジニアから始まるキャリアパス

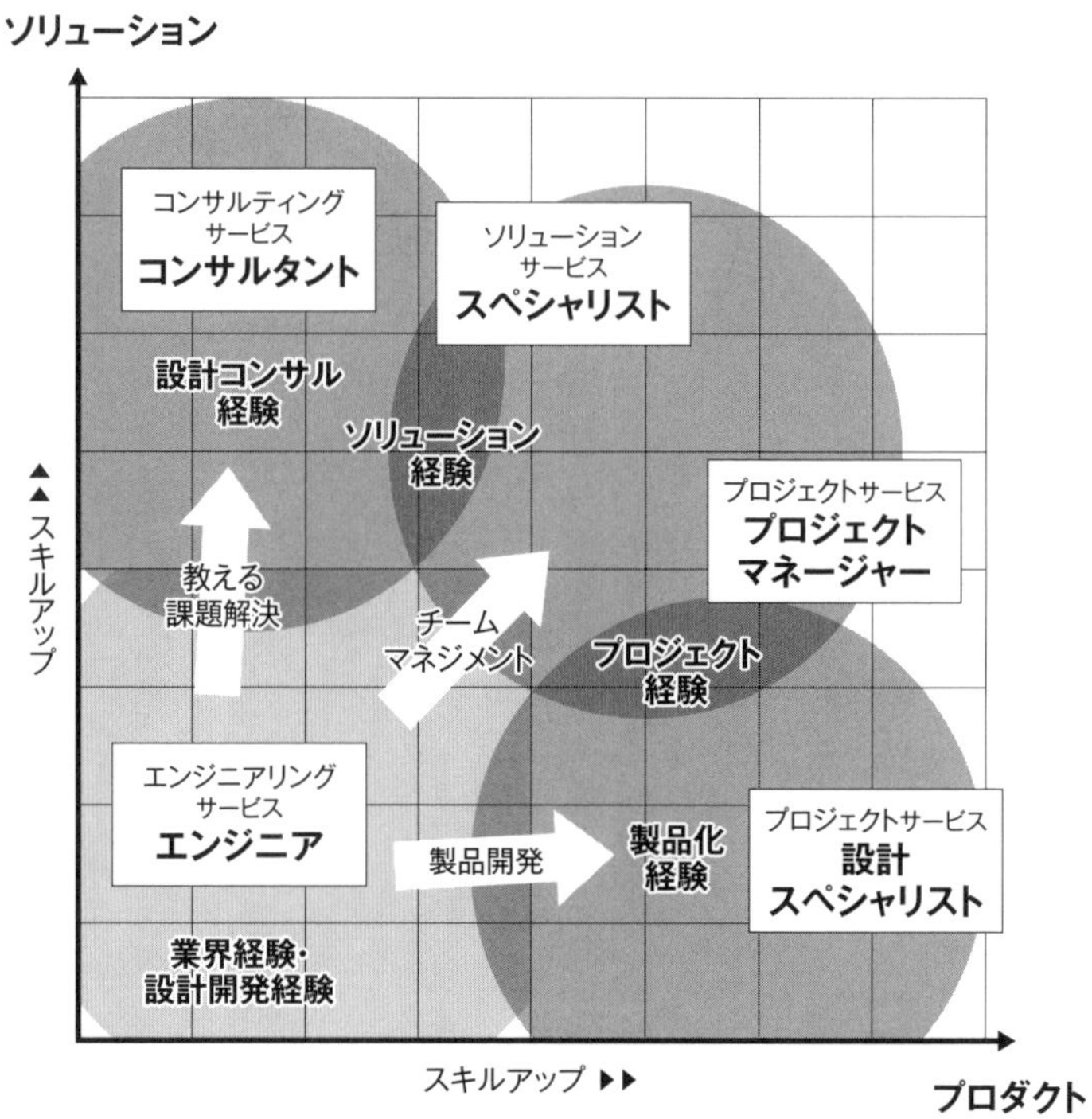

エンジニアから始まるプログレス・テクノロジーズのキャリアパスは、図のように幅広い選択肢を持つところが大きな特徴。個人の希望、積み上げげた知識、経験、スキルに合わせて「なりたい自分」になれるよう、会社としても最大限のサポートを行う。
大きく分けると「製品開発技術を極めたい」という人は「設計スペシャリスト」。「チームをリードしたい、マネジメントをしたい」人は「プロジェクトマネージャー、ソリューションスペシャリスト」。「人に教えたい、課題を解決したい」という志向の人は「コンサルタント」「ソリューションスペシャリスト」を目指す傾向が強くなる。

プログレス・テクノロジーズの採用、育成は、前述したようにエンジニアファーストで、それぞれが市場価値を高められるような制度設計となっています。今の時代、これからの時代のエンジニア育成には絶対に必要な考え方ではないでしょうか。

エンジニアとして経験を積んだ後、前述した「設計スペシャリスト」「ソリューションスペシャリスト」「プロジェクトマネージャー」「コンサルタント」へと続くキャリアパスを、わかりやすくまとめたのが前ページの図です。この章の最後に、プログレス・テクノロジーズで働き、キャリアを形成しているエンジニアの事例を紹介します。

【事例1】　課題解決力を武器にプロジェクトマネージャーを目指す

▽エンジニアリングサービス　メカグループ　２０１６年新卒入社

入社後、半導体製造装置メーカーのプロジェクトに参加しました。大学で超電導を学んできたことを踏まえ、この分野を用意していただきました。設計を基礎から学ぶため、全体のプロセスを見渡せる性能評価からキャリアをスタートさせました。

設計とはＣＡＤで図面を描くだけでなく、設計に至るまでの根拠を探ることも重要だと学び、１年半ほど経った頃、スマートフォンの設計プロジェクトへ移りました。３ＤＣＡＤや製図法など、設計の実務に就き、初期検討から公差計算、さらに図面を描いて、コンマ単位の機構設計にも挑戦しています。

その後、特殊車両の部品設計プロジェクトに入り、金属部品の設計を初めて経験しました。設計部品を製作するメーカー、組立を行う現場の方々との調整などを経験し、製品設計の流れを広い視野で見られるようになったと思います。

次に担当したのは、自動車製造の板金部分溶接工程の自動化です。機構設計を経験し、量産品ではなく1点ものの設計にも携わり、新たな知見を得ました。

▽日々の生活にある不満が、新たな創造力の源泉に

客観的に見た自分の市場価値は、「課題解決力」。半導体製造装置メーカーのプロジェクトでは、試験結果を整理し、「課題を解決するにはこういう形状を試してみては」と、会議等で提案をしました。それが基礎となり、後のプロジェクトでも、自分の考えを積極的に提案するよう心がけています。

将来の目標は、機械設計で、お客様の課題解決に貢献できる「プロジェクトマネージャー」です。それには、設計者としてもっと経験を積み、知見を広げ、スキルを高める必要があります。日々の生活の不満を、どうしたら解決できるのかをいつも考えていて、それを想像で終わらせず、いつか形にしたいと考えています。(談)

【事例2】　苦労する分、やりがいも大きいコンサルティング

▽コンサルティンググループ　２０１２年入社

入社後、まず通信装置メーカーの筐体設計に携わり、設計の基礎を学びました。その後、ロボットメーカーで橋梁点検ロボットの試作機設計を、バイオベンチャー企業で自動創薬ロボットのユニット設計を担当しました。どれも設計のみならず、加工メーカーとのやりとりを通して、部品の発注なども行っていました。

コンサルタントとしてのキャリアは、遊具メーカーの設計、製造プロセスの改善業務から携わっています。設計プロセス改革では、プロジェクトの途中から参加し、業務の棚卸から整理までの補助を行いました。

以降、建機メーカー、電源メーカー、船外機メーカーなどの設計プロセス・ノウハウ整理を行い、現在は建機メーカーの油圧機器設計プロセスの業務改善を担当しています。

設計の仕事は、知識やノウハウが属人化しやすく、技術伝承しにくい面があります。ベテラン設計者の頭の中にあるノウハウを可視化したり、設計プロセスを整理したり、蓄積されている情報と新しいアイデアを集約したりするのを手伝うのが、コンサルタントの仕事です。

▽一歩先の提案を行うため、情報収集のアンテナを張り続ける

苦労するのは、設計に関してお客様より知っていないといけないこと。常に一歩先にいなければいけないこと。日々、情報収集、勉強が必要ですが、苦労した分、得るものも大きいと思っています。社内にさまざまな分野のスペシャリストがいるため、力を貸してもらうと、いろんなことを実現できるというイメージも持てました。

いつも新鮮な気持ちで業務に向き合い、前の業務で得た知識やスキルが、別領域の業務で役立つこともあり、発見の連続です。コンサルタントとして、これから、もっともっとお客様を助けられる存在になっていきたいと思います。（談）

【事例3】日々、自分がアップデートしていると実感できる解析の業務

▽ソリューショングループ　２０１５年中途入社

大学卒業後、携帯電話の設計を行い、その後、解析ソリューションの世界に興味を持ちました。Ａｂａｑｕｓという構造解析ソフトが好きで、ある程度使える自信もあったので、その知識を生かせる

転職先として選んだのが、プログレス・テクノロジーズです。

入社後は、Ａｂａｑｕｓを使用した受託解析サービス案件を多数経験しました。大手自動車メーカーＯＥＭ、大手医療機器メーカー、大手住宅設備機器メーカーなど、携わった案件は10以上。かなり専門的な分野で、簡単にはいかない仕事です。でも、簡単にはいかないからこそ、やり遂げた時の達成感は格別です。

絶対の答えがない分野で、どう答えを導くか。論文を読み漁って学術的に考えることも必要ですし、あの手この手で、いろんな可能性を試していきます。行き詰まりを感じたら、視点をガラッと変えるとそれが的中だったりもします。その感覚は、解析ソリューションに携わる者だけが味わえるもの。答えがないからこその難しさ、面白さがあります。

▽失敗から得る教訓が市場価値を高める

研究開発的な要素も多く、あれこれ予測して、解析モデルを構築するところに仕事のやりがいを感じています。今まで知らなかったことを知った時、ただ知識が増えるというだけでなく、考え方や価値観を日々更新する姿勢が、成長には欠かせません。

成功があれば失敗もあり、大事なのは、そこからどんな教訓を得て、価値観がどう変わるか。そう考え続けることで、エンジニアとしての市場価値を高めるきっかけになると思います。今、やれるこ

とに全力で取り組む。その姿を見て、後ろに続く人たちに真似をしたいと思わせるようなエンジニアになりたいですね。（談）

【事例4】幅広い設計と実務の経験で、設計現場を変革していく

▽エンジニアリングサービス エンベデッドグループ　2007年入社

エンジニアとしてのスタートは、電気機器メーカーでDJ機器（ミキサー、CDプレーヤー）の設計・評価からです。製品内部の基板の回路設計、アートワーク設計、性能評価、コストダウン提案などの業務に関わっていました。4年目にインクジェットプリンタの設計開発プロジェクトに参加し、そこでは要素検討、基板の回路設計や内部配線、システム設計、生産移行などハード関連のほぼすべての業務を担当しています。

10年目を迎えたタイミングでリーダーとなり、電気自動車／プラグインハイブリッド車用の車載充電ユニットの開発プロジェクトに参加。お客様とプログレス・テクノロジーズの窓口業務、技術的なフォロー、新卒メンバーの育成を行っています。

これまでのキャリアで強く印象に残っているのは、携わっていたインクジェットプリンタの海外展示会への参加です。試作機であり、現地で想定外のトラブルが多発したのです。自分が担当していた

部分以外のトラブルも多かったのですが、知識と経験を生かし、論理的に一つずつ解決して、最終的には展示会でのデモを成功させることができました。

システム全体の動作、部品の全ブロックの電気回路の動きなどを理解する重要性をそこで学べたと思います。

▽業界にインパクトを与えるプロジェクトリーダーへ

自分の市場価値は3つあり、1つ目は、幅広い実務経験による信頼性の高い電機設計ができること。2つ目は、開発から生産までの一貫した実務経験があること。3つ目は、メカとソフトの架け橋になれるコミュニケーション能力、課題解決能力です。

こうした市場価値を存分に生かしながら、設計の最前線で働き、プロジェクトリーダーとして業界のトップを引っ張るような活躍をするのが、将来の目標です。（談）

日本の製造業が、最先端のテクノロジーを駆使して世界のイノベーションを牽引する。そんなワクワクする未来の実現に向けて、私たちプログレス・テクノロジーズは挑戦し続けます。

エンジニアが日々研鑽し、夢を語り、豊かな人生を過ごせたら、日本の明るい未来が待っていると強く信じています。

世界を進める、一歩を。

できることより、できないことに挑んでいるか？
答えを探すより、つくろうとしているか？
世界の想像より、先を目指しているか？
私たちは問い続ける。
そのアイデアで、エンジニアの枠を超えられるか？
誰かの心を揺さぶれるか？
何より、自分の心を熱く突き動かせるか？
私たちは挑み続ける。
ただのものづくりで終わらないために。
徹底的に鍛え抜いた技術で、世界がまだ知らない世界をつくれ。
ものづくりの未来をつくれ。
誰よりも熱く、しぶとく、ワクワクしながら。
風通しは良く。あきらめは悪く。
無謀だと笑う声には、希望だと切り返す。
それが、私たちのものづくりだ。
さぁ、つぎの一歩で、世界をどうする？

プログレス・テクノロジーズ

■会社紹介

プログレス・テクノロジーズ株式会社は、日本で唯一のエンジニアリング・プロフェッショナルファームを標榜している。2005年の創業以来、大手メーカーの設計開発とプロセス改革を支援。実績を重ね、コンサルティング、ソリューション導入、システム開発、運用定着、設計実務までのサービスをワンストップで提供している。また、最先端デジタル技術の研究開発や実装運用の検証にも取り組み、次世代のモノづくり、コトづくりに挑む。

モノづくりから、コトづくりへ
プログレス・テクノロジーズとは何者か?

2023年2月27日　第1刷発行

著　　者　プログレス・テクノロジーズ株式会社
発 行 人　後尾　和男
発 行 所　株式会社玄文社
【本　社】〒108－0074　東京都港区高輪4－8－11－201
【事業所】〒162－0811　東京都新宿区水道町2－15　新灯ビル
TEL　03－5206－4010　FAX　03－5206－4011
http://www.genbun-sha.co.jp
e-mail：info@genbun-sha.co.jp

執筆協力　小野塚　久男
印 刷 所　新灯印刷株式会社

ISBN978-4-905937-94-4
（落丁・乱丁の場合は小社にてお取り替えします）